APPELEZ-MOI STÉPHANE

DES MÊMES AUTEURS

Les voisins, Leméac, 1982.

CLAUDE MEUNIER
LOUIS SAIA

APPELEZ-MOI STÉPHANE

nouvelle version

LEMÉAC

Couverture : Claude Meunier, photographie de Monic Richard
Louis Saia, photographie de Yves Renaud

Leméac Éditeur remercie le ministère du Patrimoine canadien, le Conseil des arts du Canada, la Société de développement des entreprises culturelles du Québec (SODEC) et le Programme de crédit d'impôt pour l'édition de livres du Gouvernement du Québec (Gestion SODEC) du soutien accordé à son programme de publication.

ISBN 978-2-7609-0397-5

© Copyright Ottawa 2006 par Leméac Éditeur Inc.
4609, rue d'Iberville, 1er étage, Montréal (Québec) H2H 2L9
Dépôt légal – Bibliothèque et Archives nationales du Québec, 2006

Imprimé au Canada.

CRÉATION ET DISTRIBUTION

Appelez-moi Stéphane a été créée par le Théâtre des Voyagements en février 1980. Une deuxième version modifiée a été donnée à l'Arlequin à l'été 1981, et une troisième au Théâtre Jean-Duceppe en avril 2005 ; c'est cette troisième version que nous reproduisons ici.

Cinq personnes de milieux différents s'inscrivent à des cours du soir en théâtre. Stéphane, le professeur, leur propose de monter une pièce dans laquelle chacun jouera une partie de sa propre « histoire ». Par son charisme évident et le talent naturel qu'il utilise pour déceler chez les autres le défaut de la cuirasse, Stéphane va peu à peu forcer ses élèves à confier leurs problèmes et à ouvrir les vannes de l'angoisse enfouie dans les plus profonds replis de l'âme. L'intention paraît louable en soi, mais Stéphane joue avec des forces qu'il ne connaît pas ; comme l'apprenti sorcier, il déchaîne des énergies qu'il n'arrive plus à canaliser par la suite et les conséquences de ce jeu confèrent à la pièce des éléments dramatiques modernes et dangereux.

Stéphane	Normand Chouinard
Louison	Édith Cochrane
Jacqueline	Pascale Desrochers
Jean-Guy	Martin Drainville
Réjean	Luc Guérin
Gilberte	Diane Lavallée
Mise en scène	Denis Bouchard
Décor	Pierre Labonté
Éclairages	Luc Prairie
Costumes	Suzanne Harel

PREMIER ACTE

1

La scène s'ouvre sur un décor de scène de théâtre de centre culturel. On peut voir de vieux décors, un piano, des praticables, des chaises et des tables qui traînent éparpillés, etc. Sur une pancarte il est écrit : « COURS DE THÉÂTRE » et il y a une flèche indiquant les coulisses. Trois ou quatre tables de cafeteria sont alignées avec des chaises autour. Une inscription est collée sur le côté d'une chaise : « COURS DE THÉÂTRE ». On entend des voix en coulisses, Gilberte et Jacqueline entrent sur scène, impressionnées par les lieux, regardant autour d'elles.

Small talk entre Gilberte et Jacqueline.

JACQUELINE. Ah mon Dieu, c'est grand ici !

GILBERTE. Imagine-toi quand y'a du monde ! Coudonc, on est tu seules dans place...

JACQUELINE. Ben oui... Tu parles d'une place pour faire du théâtre...

GILBERTE. Ben quoi, c'est « un » théâtre.

JACQUELINE. Je sais ben... c'est le trac qui me fait dire des niaiseries. Hey, c'est la première fois que je foule une scène.

Gilberte s'approche complètement à l'avant-scène et crie dans la salle.

GILBERTE. Allô... Allô...

JACQUELINE. Là j'comprends qu'est-ce que c'est qu'être acteur.

GILBERTE. Moi, ce qui m'impressionne au théâtre, c'est : les bancs.

JACQUELINE, *ne sachant que dire.* Oui c'est vrai qu'on pense jamais à ça, les bancs...

GILBERTE. Les microbes non plus... Hey ! As-tu déjà pensé à tous ceux qui ont été assis avant toi sur ton banc ? Dégueulasse !

JACQUELINE, *impressionnée par la scène.* Dire que ç'a été inventé par les Grecs !

GILBERTE. Quoi ça ?

JACQUELINE. Ben, le théâtre !

GILBERTE. Oui, oui ça pis le souvlaki...

JACQUELINE. Je l'sais pas qu'est-cé qu'on va'i dire, hein ?

GILBERTE. Bah ! C't'à lui à nous dire quèque chose... c'pas à nous autres, c'est lui qui donne le cours de théâtre.

JACQUELINE. Je l'sais pas si i'va nous faire acter tout d'suite, hein ? J'sais pas quoi faire, moi...

GILBERTE. Penses-tu je l'sais, moi ? En tout cas, j'le replace pas encore, lui...

JACQUELINE. Ben oui... t'sais celui qui chante avec le jambon dans l'annonce de bœuf...

GILBERTE. Celui qui prend sa douche avec le savon qui rend d'bonne humeur, là ?

JACQUELINE. Non, non, chus sûre que tu l'as déjà vu... i'est grand, i'est à télévision... Où t'aurais pu l'voir, donc ?

Gilberte aperçoit Réjean qui entre dans le local.

GILBERTE. Ah c'est lui ça !… J'le reconnais, c'est le p'tit laid qui faisait dur dans *Virginie* !

JACQUELINE. Ben non, c'est pas *lui*. Lui c'est le p'tit caissier qui est ben lent à la Caisse populaire.

RÉJEAN. Bonjour… est-ce que je suis bien ici… pour le théâtre.

JACQUELINE. Pardon ?

RÉJEAN. Le théâtre, là, j'veux dire pour le cours, c'est ici qu'on le suit ?

GILBERTE. Oui, oui, c'est ça… vous aussi vous êtes inscrit ?

RÉJEAN, *sourire gêné.* Ç'a l'air…

JACQUELINE. Est-ce que c'est la première fois que vous allez jouer ?

RÉJEAN. J'comprends… en tout cas, eh… c'est ben ?…

Long temps.

GILBERTE. Pour moi, i'doit pas faire d'annonces de montre souvent lui, i'est huit heures et cinq. Pour moi, ça va tomber à l'eau ce cours-là. Que c'est tu veux, le théâtre, le monde regarde ça à télévision.

Jean-Guy entre. Il pianote en passant et se dirige vers les autres.

JEAN-GUY. Bonsoir le monde. C'est ben ici le département des vedettes ? (*À Jacqueline :*) Vous seriez pas Julia Roberts, vous ?

JACQUELINE. Pas encore, non… r'marquez que ça serait un beau compliment à me faire, i'paraît qu'est assez fine dans vie…

JEAN-GUY. Moi, pour l'instant, j'm'appelle encore Jean-Guy Poupart, un des sept millions… Vous avez peut-être entendu parler d'moi dans le comté ou vous m'avez peut-être déjà vu chez vous. J'ai fait beaucoup de porte à porte, aux dernières élections, pour le parti...

GILBERTE. Quel parti ?

JEAN-GUY. Ben voyons, c'est pas une question, ça ! Pauline Marois, ça vous sonne-tu une cloche, ça ? C'est elle le parti ! La future première Premier Ministre. Pauline la Souveraine. Celle qui est capable de vous mettre au monde, madame.

GILBERTE. J't'assez née de même, merci !

JEAN-GUY. C'est pas toute d'être née, madame, faut couper le cordon à un moment donné.

STÉPHANE. Groupe, bonsoir !

GILBERTE, *à voix basse à Jacqueline.* Penses-tu que c'est lui ?

STÉPHANE, *entrant en souriant.* Oui, c'est lui... Stéphane Sylvain, acteur, mime et création collective. Allô, vous êtes beau, groupe !

GILBERTE. Ah, là, j'vous replace ! J'vous ai vu dans une annonce de barre de chocolat. Vous faisiez un raisin...

STÉPHANE. Une noix, madame, une noix...

GILBERTE. Vous étiez bon là-dedans...

STÉPHANE. Merci.

JEAN-GUY. Mais est-ce que vous jouez dans un commercial, actuellement ?

STÉPHANE. Pas pour le moment, non, ch't'un peu sabbatique de c'côté-là...

RÉJEAN. Mais, euh...

GILBERTE. Au théâtre, est-ce que... ça vous est arrivé de jouer des rôles ?

STÉPHANE. Oui. J'ai joué beaucoup de rôles de répertoire et masculins… Ouf ! Je les compte pus madame !

JACQUELINE. Mais vous, face au théâtre, là, est-ce que vous pensez que le théâtre québécois mérite d'être joué ou si vous abondez plus pour une chose, là, un Feydeau, un boulevard de mœurs, parce que c'est un problème, la langue au théâtre, y a d'la mentalité culturelle là-dedans quand même. J'aime beaucoup le débat là-dessus.

STÉPHANE. Oui, j'aime ta question, c'est quoi ton nom ?

JACQUELINE. Jacqueline.

STÉPHANE. Jacqueline, moi, la langue, j'pense que c't'un mot. Faut pas en faire une religion, mais i'en reste pas moins qu'une paire de claques, c't'une paire de claques, c'est pas un couvre-pardessus.

JEAN-GUY. M'as dire comme c'te gars, c'est mieux de parler comme un vidangeur que de parler comme un pet de sœur. (*Ne voyant aucune réaction.*) … 'scusez-la…

Louison arrive tout excitée.

LOUISON. Ah, s'cusez, ch't'en retard. J'avais une maille dans mes bas-culottes. J'en trouvais pas nulle part. I'a fallu que j'fasse trois pharmacies. En tout cas… (*Regardant Stéphane.*) Ah ! c'est vous le professeur ? J'vous ai vu dans l'annonce du gars qui a le nez plein pis que ça i'donne mal à tête… Vous faisiez assez pitié là-d'dans. En tout cas, moi j'vous avertis tout de suite, chus pas ben bonne.

STÉPHANE. Y a personne qui est bon au début. Molière, Marlon Brando, Fernandel c'tait trois pourris, ça, au début. Moi j'étais comme eux autres, regardez-les aujourd'hui. (*Il regarde sa montre.*) Ouais, i'est déjà et quart. Y a pus l'air d'avoir d'autre monde qui va venir…

On va commencer. Alors, la première chose que j'vous demanderais, c'est de vous asseoir.

RÉJEAN. Où ?

STÉPHANE. C'est libre... Alors pour résumer, mon nom c'est Stéphane Sylvain... J'suis comédien au niveau professionnel et on peut également m'employer pour faire du mime ou de la création collective. J'ai faitte sept ans d'art oratoire au Conservatoire Lasalle, deux ans d'art dramatique avec madame Gariépy... Euh... j'ai suivi des cours de chant accélérés pendant six semaines avec Roméo Dubois. J'ai participé à un stage d'été d'expression corporelle sous Michel Conte. (*Son téléphone portable sonne, il répond, il écoute un peu en retrait et mal à l'aise.*) Stéphane Sylvain acteur, mime... Je peux pas te parler en ce moment... Je suis en atelier. Écoute, je vais te rappeler... Mais, là, j'voudrais que vous oubliez toute c'que j'viens de vous dire pis que vous vous disiez que c'est pas une vedette qui est devant vous autres, mais que c'est un gars comme toi pis comme elle... (*Il pointe Réjean puis Louison du doigt.*) Bon ! Pour ce qui est du cours comme tel, euh... c'est moi qui vas le donner. La seule chose que je vous demande quand vous allez venir au cours, c'est que quand vous rentrez ici, vous rentrez au complet. La tête avec, vous laissez pas votre tête à maison, c'est clair ça. Hein ? Non mais c'est important c'que j'dis. Maintenant, j'vous avertis tout de suite, au début ça sera pas facile c'que j'vas vous demander. J'vous l'dis d'avance, j'vas vous casser comme j'me suis fait casser moi-même.

GILBERTE. Qu'est-cé que vous voulez dire par là ?

STÉPHANE. J'veux pas dire que j'vas vous casser les bras ou les jambes. Ça, ça m'intéresse pas. C'est pas du théâtre polonais qu'on fait. Vous casser, c'est vous démouler. (*Il pointe Louison.*) Mettons que toi t'es pognée dans un pain,

O.K. ? Bon ben la pâte que t'es, là, on va la prendre pis qu'est-cé qu'on va faire avec, hein ?

LOUISON. Des cours de diction ?

STÉPHANE. Non, on va la ramollir pis on va pouvoir faire des petits gâteaux avec toi, deux au chocolat, trois aux fraises. Avec le restant on va faire de la pizza, un p'tit pain aux bananes pis une bonne grosse tarte au sucre.

LOUISON, *en riant.* Arrêtez, vous me donnez la faim !

STÉPHANE. Non, mais, tu comprends-tu ? C't'une image, mon exemple ! C'est quoi ton nom ?

LOUISON. Louison.

JEAN-GUY, *avec le sourire.* Autrement dit, c'que vous nous dites, c'est qu'on est peut-être tartes mais y a moyen de faire des gâteaux avec nous autres.

STÉPHANE, *blagueur.* Écoute, je l'sais pas si t'es tarte, moi…

JEAN-GUY. Chus pas tarte, chus beigne.

STÉPHANE. Ah bon ! À date, j'vous ai parlé du côté (*riant*) cuisine, finalement, du théâtre, de ce que les gens voient pas mais y a une affaire que j'vous ai jamais dit, c'est que acter ça va augmenter votre personnalité, pis là-dessus j'peux vous dire juste une chose : dans trois mois, vous vous ennuierez pas de ce que vous êtes aujourd'hui. Ce qui compte, finalement, c'est le changement que vous allez être après. Maintenant, j'vas vous demander juste une affaire : votre nom pis pourquoi, pourquoi vous êtes ici. Est-ce que tout le monde est à l'aise, là ?

Les gens répondent « oui, oui ». Ils ont l'air surpris.

STÉPHANE. O.K. Parce que sinon faut le dire. (*Il pointe Louison du doigt en regardant à l'opposé.*) Bon ! toi Louison, dis-nous ton nom. Les autres, s'il vous plaît… (*Regardant Louison.*) Vas-y…

LOUISON. Je viens de vous le dire.

STÉPHANE. Je l'sais, mais redis-le pour le groupe.

LOUISON. Bon ben, bonjour tout le monde. Je suis Louison Doré et je travaille comme réceptionniste dans un bureau de dentiste. Maintenant, le selon pourquoi que je suis ici, c'est que les cours de ballet-jazz n'avaient plus de place et que, d'après moi, le théâtre ça revient au même pour se raffermir… la personnalité. Pour ce qui est de mon côté actrice, j'aimerais faire des rôles de femme ou de maîtresse, non pas de maison mais de mari… Alors, je pense que c'est ça et j'espère que je n'ai rien oublié. Bonne soirée tout le monde.

STÉPHANE. C'est très bien Louison, j'pense que tu t'es exprimée. Ça va aller.

LOUISON. Merci.

STÉPHANE, *pointant Gilberte.* À votre tour, madame…

GILBERTE. Bon ben, moi, chus madame Roger Grenon ; mon mari travaille comme propriétaire d'un magasin de meubles pis, euh… j'ai entendu parler du cours en regardant l'affiche pour le cours de décapage pis en m'en faisant parler par mon amie Jacqueline, ici. Euh… J'sais pus pourquoi je suis venue mais, d'après moi, je suis pas gênée, pis j'ai pas besoin du théâtre pour me sortir de ma coquille, euh en party je suis très folle… Le théâtre, pour moi, c'est de la détente, un peu comme *Ma Maison Rona* et euh… j'me rappelle pus c'que j'voulais dire, là…

STÉPHANE. Très bien… mais si vous étiez une actrice, là – comment je dirais ça – c'est qui que vous seriez ?

GILBERTE. Ben, au niveau physique, j'aimerais être belle comme Macha Grenon avec les yeux un peu moins grands, par exemple. Mais, au niveau du talent, j'aimerais mieux avoir celui de Lise Dion, par exemple ou, dans le sérieux, celui de Michèle Richard.

STÉPHANE. Merci... euh... c'est quoi ton nom ?

GILBERTE. Gilberte.

STÉPHANE. Merci.

GILBERTE. De rien. Euh... on peut-tu vous appeler Stéphane ?

STÉPHANE. J'me suis toujours faite appeler comme ça, madame ; d'ailleurs, j'dis toujours à mon monde : « Appelez-moi Stéphane. » Bon, si on allait du côté des hommes un peu. (*Il désigne Jean-Guy.*) Toi là. Qu'est-cé que t'es venu faire ici, à soir ?

JEAN-GUY. Ahhh... euh... j'étais venu pour signer des autographes, mais y a pas grand monde qui m'en ont d'mandé à date...

STÉPHANE, *en riant.* Ha ! ha ! J'gage que t'es venu ici pour faire de la comédie, toi, hein ? T'es drôle, je l'sais pas si on te l'a déjà dit, mais t'es drôle, hein... pas vrai, groupe ?

JEAN-GUY. Bah... Y en a des pires... je trouve que la vie mérite qu'on rie d'elle... Parce que si on rit pas, on est aussi ben de brailler, non mais c'est vrai, tout est pouri. On est pas dans la civilisation du loisir, on est dans la civilisation du moisir. Juste regarder Charest deux minutes, t'as besoin de deux semaines de vacances après. Fatigant ça, regarder quelqu'un d'invisible ! Non mais, c'est vrai ! (*Il s'enflamme.*) Y est où, Charest ? Hein ? Y est où là, Charest ? Pourquoi on le voit jamais nulle part ? Parce que : y a pas de vision... je parle pas de sa vue, je parle de sa vision… sa vue est bonne… c'est sa vision qui est pourrie… (*Avec un rire supérieur.*) Mais c'est de valeur parce que des lunettes ça existe peut-être pour la vue mais pas pour la vision !!! (*Il regarde autour avec le sourire.*) Capitch ?

Les autres le regardent, un peu abasourdis.

STÉPHANE. Hum, hum, ça fait que toi, ça serait plutôt un spectacle comique mais pas nécessairement pour faire rire…

JEAN-GUY. Comme Yvon Deschamps : faire des farces mais pas juste des farces drôles…

STÉPHANE. Hum, hum, pis c'est qui qui nous dit ça ?

JEAN-GUY. Comment ça, c'est qui ?

STÉPHANE. Ben, on sait pas encore ton nom.

JEAN-GUY. Ah ! C'est Jean-Guy Poupart.

STÉPHANE. Pis qu'est-ce qui fait dans vie, Jean-Guy Poupart ?

JEAN-GUY. I'travaille au bureau des licences.

STÉPHANE. Comme quoi ?

JEAN-GUY. Comme ben d'autres…

Silence.

STÉPHANE. C'est-à-dire…

JEAN-GUY. … comme comptoir.

STÉPHANE. Merci Jean-Guy… Alors on voit que… y a différentes personnes quand même dans le groupe, j'aime ça… j'aime ça… i'nous reste encore à découvrir…

RÉJEAN. Moi, j'suis…

STÉPHANE, *s'adressant à Réjean.* S'il vous plaît... (*Au monde, en se levant :*) J'espère que vous réalisez toutte que c'est important c'qu'on fait actuellement.

Les gens font hum, hum en acquiesçant.

STÉPHANE. Non, mais c'est facile de dire oui, le réalisez-vous, oui ou non ?

Les gens répondent : oui.

STÉPHANE, *se rassoyant et pointant Réjean du doigt.* Tu peux continuer où t'étais rendu...

RÉJEAN. Ben, j'étais rendu à dire que j'étais Réjean Bourque. Mon travail... me permet d'être caissier de banque... pour être franc, si je suis venu c'est que je suis comme gêné sur le plan humain, que... j'aimerais changer de personnalité et je pense que le théâtre est un de mes meilleurs moyens. Malheureusement, je suis pas le genre à avoir des idées mais j'aimerais beaucoup être un petit rôle de détective ou d'extraterrestre.

STÉPHANE. Pis quel âge qu'i'a notre futur Martien ?

Les gens rient. Réjean aussi.

RÉJEAN. Pour le moment... 33 ans.

STÉPHANE. Merci Réjean. (*Blagueur.*) Si on revenait sur la Terre un peu. (*À Jacqueline :*) Mademoiselle...

JACQUELINE, *flattée.* Madame !

STÉPHANE. Ah bon !

JACQUELINE. Oui, enfin, madame... c't'une façon de parler. Pour moi, c'est plus un titre que d'autre chose. Remarquez, ça m'empêche pas d'être mariée à un comptable qui me fait très bien vivre, mais j'pense qui faut sortir du vieux tabou que le rôle de la femme c'est juste dans le foyer. Dans mon cas c'est un choix.

Maintenant, la femme d'intérieur est pas juste associée à une balayeuse. Elle a le droit de faire de l'autonomie et d'avoir des idées qui sont propres ; en tout cas, moi, c'est c'que j'pense.

STÉPHANE. Donc, c'est en tant que femme que vous êtes ici.

JACQUELINE. D'une certaine façon oui, mais surtout parce que le théâtre va me permettre de crever l'abcès de farfelu et d'art et lettres que j'ai en moi… Et mon nom est Jacqueline Dugas.

STÉPHANE. Merci Jacqueline. Ouais, c'est pas le talent pis les idées qui manquent ; évidemment y a des petits problèmes de diction.

GILBERTE ET LOUISON. Pardon ?

STÉPHANE. J'ai dit : y a des petits problèmes de diction. Euh… maintenant i'est pas question qu'on monte sept pièces différentes, de toute façon on est juste cinq. J'pense que la meilleure solution, c'est celle que j'ai toujours trouvée à date : c'est qu'à partir de ce que vous êtes pis de vos petites histoires, on va écrire une pièce en essayant de rendre ça intéressant dans la mesure du possible.

RÉJEAN. Maintenant… combien de…

STÉPHANE. Combien de fois on va la jouer la pièce ? Normalement, si tout se passe bien, une fois au moins, mais euh… si la pièce est bonne, on sait jamais…

LOUISON. Comment ça jamais ?

STÉPHANE. Bah ! J'me suis occupé de troupes de théâtre qui avaient l'air ben moins bons que vous autres au début, pis ces troupes-là, ben y en a qu'ont fini dans des festivals d'été… Ben alors, pour commencer, on va travailler un peu la base, la grosse base platte du théâtre, j'ai nommé la diction. Alors, on va essayer de vous enlever la patate chaude que vous avez dans la bouche.

JEAN-GUY. Faites « cha » vite, « cha » brûle.

STÉPHANE. T'as pas besoin de te forcer pour parler mal, Jean-Guy, tu l'as très bien naturel. On va donner un petit exemple : « Ton thé t'a-t-il ôté ta toux ? » Ça c'est une phrase type. Y a-tu quelqu'un qui veut l'essayer ?

JEAN-GUY. Certainement. Tony t'a-t-il ôté ton tatou ?

STÉPHANE. Parfait Jean-Guy, sauf que tu l'as pas du tout. Un peu jeune de caractère, Jean-Guy ?

JEAN-GUY. Un p'tit peu.

STÉPHANE. Mon Jean-Guidoune toi !! O.K. groupe, on va essayer un autre exemple : « Jésus soupa chez Zachée, Zachée soupa chez Jésus. » Réjean, qu'est-ce tu dirais de nous dire ça ?

RÉJEAN. Jésus choupa chez Zabée, Zassée choupa cé Jéju.

STÉPHANE. Pour moi Jésus aurait dû aller dîner chez Zachée.

RÉJEAN. Ou déjeuner !…

Les autres rient.

JEAN-GUY. Hey, j'pense je l'ai moi.

STÉPHANE. Ben garde-lé pour toi ! Bon, on voit que la diction on vient pas au monde avec, hein ?… On reviendra là-dessus, c'est juste une question d'aperçu… Maintenant, on va passer à l'intention. C'est quoi l'intention ?

JEAN-GUY. C'est ça qui compte…

STÉPHANE. S'il vous plaît, Jean-Guy… L'intention, c'est ça qui fait que dans une pièce quand un acteur dit : « J'ai faim », tout le monde dans la salle a le goût d'i payer un hot-dog. C't'une exemple. On va en prendre une autre : « Ha, ha, Familiprix ! » O.K. ? Ç'a l'air facile comme ça… mais si vous dites « Ha, ha ! Familiprix ! » comme si vous disiez « ça c'est du beurre », ben le monde i'vont acheter de la margarine à place. C't'une image, O.K. ? Bon, on va pratiquer. Louison, « Ha, ha ! Familiprix ! »

LOUISON, *exaltée.* Ha, Aaaaaaaa ! Familiprix !

STÉPHANE. Voyons donc, Louison, faut sentir qu'i a un bobo, c'est une pharmacie qu'on annonce ! On va demander à Gilberte.

GILBERTE, *genre digidou.* Ha, ha ! Familiprix ! Ha, ha ! Familiprix ! Ha, ha ! Familiprix !

STÉPHANE. C'est pas assez convaincu. On dirait que ça te fait rien. Regardez ben là. Ha, ha ! (*Il donne un coup de poing silencieux sur la table.*) Familiprix ! Envoye, Réjean…

RÉJEAN. Ha, ha ! Familiprix !

Il donne un coup de poing qui ébranle la table. Tout le monde sursaute.

JEAN-GUY. Fais attention, l'ambulance va arriver, y vont te mettre sur les Prozac !

STÉPHANE. Ouan, y avait de la conviction, sauf que c'est pas un film d'horreur qu'on fait. (*À tous :*) Une chance qu'on tourne pas l'annonce à soir, hein ?

LOUISON. Non certain.

STÉPHANE. L'expression maintenant, autrement dit c'qui fait que la face d'un comédien change d'air. (*Stéphane change d'air et feint une douleur au ventre en prenant un air triste et en laissant échapper un petit cri.*) Voyons…

GILBERTE. L'a pas l'air à filer.

LOUISON. Qu'est-ce qu'i' y a, monsieur ?

STÉPHANE, *se relevant en souriant*. Rien. Vous avez vu. Un acteur qui a le tour avec son expression, i'est capable de faire lever un docteur dans la salle.

GILBERTE. Vous devez être épeurant, vous, quand vous voulez !

STÉPHANE. Toi aussi, tu pourrais être épeurante si tu voulais. Pis ben plus facilement que tu penses. Alors, comme vous voyez, y a pas mal de marches avant d'être au bout de l'escalier. Mais dites-vous que je suis là pour faire la rampe. Bon, en terminant, je vous encourage à pratiquer ce qu'on a vu ce soir. Ah oui, pour le prochain cours, ce serait peut-être intéressant que vous soyez pas habillés comme ce soir.

LOUISON. C'est ben sûr !

STÉPHANE. Non, c'que j'veux dire c'est que, étant donné ce qu'on va faire, ce serait mieux de vous habiller décontracté. J'conseille toujours le port du collant, mais d'abord que vous êtes à l'aise dans vos mouvements. Alors, j'pense que c'est tout. Ah oui, un petit détail à propos de l'ambiance du cours. J'pense qu'on est assez franc pour se parler. Prends pas ça mal, Jean-Guy, ça s'adresse aux autres aussi. Y a rien que j'aime mieux qu'une bonne farce, mais i'faut savoir quand la faire. J'pense qu'une bonne farce bien placée ça vaut au moins dix farces plattes.

JEAN-GUY. J'faisais ça pour détendre l'atmosphère.

STÉPHANE. J'pense que tu comprends ce que je veux dire.

JEAN-GUY. Ah oui oui ! Deux, trois farces par heure, mettons ?

STÉPHANE. Si l'ambiance n'a besoin. Mais vous êtes ben l'fun en tout cas...

RÉJEAN, *s'adressant à Stéphane.* Bonsoir... j'm'en vas... pis euh... en tout cas.

STÉPHANE. Ben correct. Ciao, Réjean !

RÉJEAN. Vous aussi. J'vas revenir.

STÉPHANE. Ben j'espère... O.K. tout le monde !

Réjean sort en trébuchant dans sa chaise puis dans les praticables. Stéphane et Jean-Guy, qui s'approche, le regardent sortir.

JEAN-GUY. Moi, j'vas revenir dans cinq minutes. Non mais, farce à part, j'ai ben aimé ça...

STÉPHANE. J't'ai pas dit d'arrêter de faire des farces ?

JEAN-GUY. Anyway, j'pas capable.

STÉPHANE. Salut !

JEAN-GUY. Salut ben ! (*Sortant.*) Salut tout le monde !

LOUISON, *prenant Stéphane à part.* Excusez-moi d'être ambiguë... mais eh... est-ce qu'y a des rôles intéressants pour les filles un peu enveloppées au théâtre ?

STÉPHANE. Le répertoire est assez large quand même. Prends Molière, ça devait peser 180, 185 livres ce gars-là. L'avare, c'était pas un chicot, t'sais.

LOUISON. C'est pas que je veux faire des rôles de chicot, mais une jeune première, c'est rare que c'est pesant, me semble...

STÉPHANE. Une jeune première, c'est autour de 110, 115 gros maximum.

LOUISON, *déçue.* Ouan...

STÉPHANE. Mais toi, t'as l'air légère quand même pour ton enveloppe.

JACQUELINE. Moi, j'aimerais vous demander quèque chose. Quand vous allez nous casser en deux, là…

STÉPHANE. Ça peut être en trois aussi.

JACQUELINE. Ce que je veux dire par là, est-ce que c'est exigeant émotivement de se faire casser comme ça ?

STÉPHANE. C'est exigeant, mais ça vaut la chandelle.

JACQUELINE. Ah ! j'dis pas le contraire… C'est juste que moi j'ai suivi des cours de yoga, pis ça aussi ça concerne un peu la personnalité, j'pense…

STÉPHANE. Oui, mais le yoga c'est pas du tout comme le théâtre. Le yoga c'est beaucoup plus se regarder le nombril, tandis que le théâtre c'est beaucoup plus regarder ce qu'il y a derrière le nombril.

LOUISON. Est-ce que ce serait indiscret de vous demander quelque chose ?

STÉPHANE. Non, non.

LOUISON. Est-ce que vous êtes marié dans la vie privée ?

STÉPHANE. Disons que la seule femme actuellement dans ma vie, c'est les planches.

LOUISON. Comme ça, vous êtes libre !

STÉPHANE, *blagueur.* Libre de choisir, oui…

Les femmes rient, excitées.

GILBERTE. Vous devez être un beau, vous…

STÉPHANE, *blagueur.* Ça dépend des goûts. (*Son téléphone sonne, il répond.*) Stéphane Sylvain acteur, mime…

Écoute, je suis très occupé présentement, je vais te rappeler plus tard ou la semaine prochaine… Ah c'est de l'histoire ancienne ça…

Les femmes rient, gênées et excitées à la fois.

2

Réjean, en bermuda et t-shirt, pianote La Bohème. *Gilberte, en pantalon de ski, et Louison, portant un léotard de couleur pâle et un bas-culotte, arrivent des coulisses.*

LOUISON. Ton thé t'a-t-il ôté ta toux ?

GILBERTE. Oui, mon thé t'a-t'il ôté ta toux.

LOUISON. On l'a ben, hein ?

GILBERTE. Pas pire, pas pire.

Louison se dirige vers Réjean quand Jean-Guy, vêtu du même pantalon et d'un t-shirt blanc imprimé d'une fleur de lys, entre.

JEAN-GUY. J'ai été chouper chez Zachée, Jésus vous fait dire chalut... Hey, Réjean ! Ha, ha !

RÉJEAN, *essayant d'imiter Stéphane.* Familiprix !

Jacqueline arrive de la coulisse, habillée en danseuse de ballet très coquette. Elle passe devant Jean-Guy et entre dans la classe.

JACQUELINE. Allô !

JEAN-GUY. Hé, monsieur ! T'en viens-tu faire la casse-noisette ? T'as l'air d'un grand ballet canadien.

GILBERTE. C'est vrai que t'as l'air de ça. T'es ben belle...

LOUISON. Hé, gosh, i'est pas à pied ton maillot. Ça te fait ben, des bretelles.

JACQUELINE. Tu trouves ?

Stéphane entre, suivi de Réjean.

STÉPHANE. Groupe, bonjour !

JEAN-GUY. Monsieur Stéphane !

STÉPHANE. Oui ?

RÉJEAN. Ha, ha !

Réjean fait semblant d'avoir mal au ventre mais le joue très gros. Jean-Guy s'approche de Réjean et le désigne.

JEAN-GUY. Familiprix !

STÉPHANE. Formidable ! Oui, mais les chemises de l'archiduchesse sont-elles sèches, archisèches ?

JEAN-GUY. Ah, ça je l'sais pas encore.

GILBERTE, *désignant son pantalon.* Est-ce que j'chus assez à l'aise là-dedans ?

STÉPHANE. J'pense que oui. (*Il touche au pantalon.*) C'est stretché, mais ça s'étire.

JEAN-GUY. I' te manque juste le T-bar.

GILBERTE. Tu peux ben parler toé, Jean-Guy… T'as l'air de… t'as l'air de… en tout cas… T'sais veux dire…

Stéphane se déshabille. Le monde l'observe. Il est en léotard et en collant avec un cache-sexe de danseur de ballet.

JEAN-GUY. Ouen, j'savais pas que c'tait toi qui faisais Spiderman.

STÉPHANE. Y a ben des affaires que tu sais pas encore, Jean-Guy. O.K. Tout le monde est en forme ?

Tout le monde répond « oui ».

JACQUELINE. Est-ce que je peux annoncer une bonne nouvelle ?

STÉPHANE. Quoi ?

JACQUELINE. Awaie vas-y, Gilberte…

GILBERTE. Ben, pour la pièce, mon mari est *game* pour nous passer tous les meubles qu'on aura besoin. Pis dans n'importe quel style, que la pièce soit québécoise, espagnole, moderne ou scandinave, ça change rien.

Elle va s'asseoir. Tout le monde s'affaire à placer les chaises, excepté Gilberte qui s'est assise.

STÉPHANE. C'est bon à savoir… Bon, aujourd'hui on va mettre le gros paquet pis j'veux que tout le monde rentre dedans, hein ; on va commencer par se réchauffer, les idées vont mieux circuler après. O.K., tout le monde debout.

GILBERTE. Ça vous dérange pas si j'ai déjà eu une hernie, Stéphane ?

STÉPHANE. Non, non, pas d'problème.

Louison enlève son gilet.

LOUISON. Brrr… c'est frisquet, moé qui est forte sur la chair de poule.

STÉPHANE. Tu vas voir que la petite poule a va pondre de la sueur t'à l'heure. Bon, enlevez les chaises et mettez-vous en queue leu leu, là. (*À Réjean qui ne sait où se mettre :*) Un en arrière de l'autre, Réjean ! Vous allez marcher en rond pis quand j'vas vous l'dire vous allez plier vos jambes.

Stéphane se met en avant de la filée.

STÉPHANE. Calculez un bras dans le dos de l'autre.

Jean-Guy monte sur une chaise pour plaisanter. Stéphane le regarde pour le remettre au pas.

STÉPHANE. O.K. On part. Ha, ha ! Familiprix ! Ha, ha ! Familiprix !

TOUT LE MONDE. Quoi ?

STÉPHANE. On répète en marchant : « Ha, ha ! Famili-prix ! » On y va.

TOUT LE MONDE. Ha, ha ! Familiprix !

STÉPHANE. On prononce bien. On descend, Ha, ha ! Familiprix !

TOUT LE MONDE. Ha, ha ! Familiprix !

Stéphane sort du rang et monte sur le grand praticable central.

STÉPHANE. Plus fort pis plus bas. De l'intention, de l'intention !

TOUT LE MONDE. Ha, ha ! Familiprix !

STÉPHANE. J't'entends pas, Louison

LOUISON, *souffrant en forçant.* Familiprix !

STÉPHANE. On baisse encore. Gilberte, sers-toi pas de tes bras, t'es pas un singe. Ha, ha ! Familiprix !

TOUT LE MONDE. Ha, ha ! Familiprix !

STÉPHANE. Souriez, vous êtes à la télévision.

Louison tombe par terre.

LOUISON. J'viens de tomber, qu'est-ce que je fais ?

STÉPHANE, *lui faisant signe de se relever.* Ha, ha ! Famili-prix !

TOUT LE MONDE, *n'en pouvant plus.* Ha, ha ! Famili-prix !

STÉPHANE. O.K. Plus vite ! Ha, ha ! Familiprix ! Ha, ha ! Familiprix !

TOUT LE MONDE. Ha, ha ! Familiprix ! Ha, ha ! Familiprix !

STÉPHANE. De la force, Jean-Guy, articulez, souriez, mettez de l'intention.

Ils continuent les « Ha ! ha ! Familiprix ! ». Louison et Gilberte sont pratiquement rendues à quatre pattes. Jacqueline réussit mieux. Jean-Guy triche beaucoup quand Stéphane ne le voit pas. Réjean a complètement embarqué dans le jeu.

STÉPHANE. O.K., parfait ! Repos, tout le monde. O.K. Réjean !

Stéphane va arrêter Réjean.

JEAN-GUY. Faut être en forme pour faire une annonce de papier de toilette.

GILBERTE. Ah ! chus morte ; j'ai les jambes à terre.

LOUISON. Moi, c'est pareil ; j'ai les jambes défigurées.

STÉPHANE. O.K. On va continuer à battre le fer pendant qu'i'est chaud, mais là on va se servir de notre tête par exemple. On va faire ce que j'appelle de l'improvisation ; j'vas vous donner un thème que j'vais choisir au hasard, pis à partir de là j'vas nommer un couple qui va aller me l'mimer en paroles. O.K. ? Alors, Gilberte.

GILBERTE. Oui ?

STÉPHANE. T'as 18 ans, t'es une très grande danseuse de ballet.

GILBERTE. Chus meilleure pour passer le balai que pour le danser.

STÉPHANE. C'est pas grave. T'as 18 ans, tu danses comme une fée, pis tu viens de gagner une bourse pour aller étudier à… Prague. Mais le problème, c'est que tu es amoureuse d'un jeune étudiant en géographie, c'est-à-dire Jean-Guy, et pis i'faut que tu 'i annonces que vous allez être obligés de vous séparer…

JEAN-GUY. Arrêtez, m'as brailler.

STÉPHANE. O.K. Jean-Guy ! Ça fait que Gilberte, tu t'mets là. (*Elle monte sur le grand praticable.*) T'es dans ton salon pis t'attends que Jean-Guy arrive. O.K. Allez-y. Vas-y Gilberte, commence à l'attendre.

GILBERTE. Oui, mais, qu'est-ce que j'fais pour l'attendre ?

STÉPHANE. T'es une danseuse de ballet, attends comme une danseuse de ballet.

Gilberte fait de petits pas.

GILBERTE, *chantonnant.* La, la, la. Me semble que j'ai l'air niaiseuse ?

STÉPHANE. Non, non, tu l'as, continue. C'est intéressant.

GILBERTE. La, la, la, y arrive-tu, là ?

STÉPHANE. Oui, oui, i' s'en vient. Continue, ça va bien.

GILBERTE, *continuant de chantonner.* La, la, la, i's'en vient. Qu'est-ce que j'vas i'dire, donc ?

JEAN-GUY. Toc, toc, toc.

STÉPHANE. Rentrez.

JEAN-GUY. Salut mon tutu, comment i'vont tes jambes, aujourd'hui ?

GILBERTE. Ah ! mon amour, c'est affreux ; j'ai appris une nouvelle affreuse. J'ai tellement peur de te l'annoncer.

JEAN-GUY. Voyons donc, j'te casserai pas les deux jambes.

GILBERTE. J'ai gagné une bourse.

JEAN-GUY. Oh non, moi qui voulais t'en acheter une pour Noël…

GILBERTE, *regardant Stéphane et continuant.* Non, pas une bourse pour femme, une bourse pour Prague.

JEAN-GUY. Ah ! Prague, capitale de la Tchécoslovaquie, avec ses trois millions d'habitants, pays réputé pour sa choucroute et son musée de dentiers.

GILBERTE. Oui mais, mon amour, si j'm'en vas, je vas être obligée de partir.

JEAN-GUY. Euh... probablement oui... Mais une fois rendue en Tchécoslovaquie, m'as dire comme c'te gars : tchèque-toi !

GILBERTE, *descendant du praticable.* Ah hey ! I'a-tu l'droit de niaiser d'même ? Parce que s'i'faut niaiser, moi aussi chus capable de niaiser.

STÉPHANE. C'est correct, Gilberte, j'ai vu ce que je voulais voir pis j'allais l'dire, là ; Jean-Guy, l'improvisation ça se fait à deux. J'trouve ça platte que tu tombes dans facilité. N'importe qui peut glisser sur une pelure de banane. Si ta femme s'en irait en Tchécoslovaquie, tu 'i écraserais-tu une tarte à crème dans face ? Hein ?

JEAN-GUY. Ben, j'pensais qu'on pouvait faire des jokes. J'savais pas que c'tait triste, moé, une improvisation.

STÉPHANE. Écoute, Jean-Guy, fais-moi pas dire des niaiseries, O.K. ? J'aime pas ça. De toute façon, tout ce que je voulais voir, c'est tes limites, pis disons que j'les ai vues, c'est parfait. Gilberte, toi aussi j't'ai vue. Pis laisse-moi te dire que ça commençait à grouiller. T'aurais pu faire quelque chose.

GILBERTE. Merci.

STÉPHANE. Le seul problème, c'est que tu te servais pas assez de ton ventre. Ça parle, un ventre.

JACQUELINE. Mais c'est dur parler du ventre.

STÉPHANE. C't'une question de technique, ça ; ça s'ouvre un ventre, pas besoin d'avoir une crise d'appendicite pour ça. Vous êtes tous assis. Là on va se parler un p'tit peu entre la taille et les épaules.

JEAN-GUY. Moi, j'vous avertis tout de suite, j'ai le ventre dur d'oreille.

STÉPHANE. Fais-toi-z'en-pas, on va te l'enlever ta cire dans l'nombril. O.K. On va faire ce que moi j'appelle une scéance de visualisation libératrice. Laissez vos corps mous, oubliez vos os, là. Feelez guénilles. Fermez les yeux. C'est ça, Louison, oubliez vot'face… Laissez tomber vos bras par terre… Respirez agréable. Vos jambes s'en vont, vos orteils partent avec. Dites-leur bonjour.

LOUISON. Bonjour !

STÉPHANE. C'est ça… Y a pus personne dans vot'linge. Vous êtes ailleurs ; c'est à peine si vous m'entendez. (*Il recule.*) Je suis loin, loin, loin. Vous flottez sur un nuage. Flotte plus, Louison.

LOUISON, *plus molle.* Excusez.

STÉPHANE. On voit blanc.

GILBERTE. Moi, j'vois comme des pitons.

STÉPHANE. C'est ça le blanc. C'est des pitons. Respirez, là, je veux vous voir respirer. Vous êtes un gros poumon. (*Les respirations sont fortes.*) C'est de plus en plus blanc, pour d'autres, y a de plus en plus de pitons. Oups ! Là on commence à descendre. On arrive sur le bord d'un lac, avec une belle plage… I'fait chaud, le soleil nous grille dans face. Ah…

Louison bouge la tête, Gilberte force comme une folle, les yeux fermés. Jean-Guy observe les autres du coin de l'œil.

STÉPHANE. C'est ça, Louison. C'est beau. Continue, Jean-Guy, ça va venir.

JEAN-GUY. O.K.

STÉPHANE. Là hé… I'se passe quelque chose, hein ? Que c'est qui s'passe, là ? Pensez à ce qui vous tente. C'est l'été sur une plage ? Pensez-y ! À quoi tu penses, Gilberte ?

GILBERTE. Ben, c'est bête à dire, mais j'vois mon mari qui fait cuire des steaks sur le barbecue.

STÉPHANE. C'est ben correct. Essaie de pogner l'odeur des steaks.

GILBERTE. J'essaye là.

Elle force.

STÉPHANE. Les autres, continuez, profitez de la journée i'fait beau.

LOUISON. J't'assez ben.

STÉPHANE. T'as l'air bien. Les autres aussi se sentent bien. À quoi tu penses, Jean-Guy ?

JEAN-GUY. J'attends que les steaks soient prêts.

STÉPHANE. Concentre-toi plus, Jean-Guy, ou sinon dérange pas les autres. Le soleil continue, on sent qu'i'arrêtera jamais. Es-tu en costume de bain, là, Jacqueline ?

JACQUELINE. Eh je l'sais pas, là, si vous voulez…

STÉPHANE. I'est quelle couleur ton costume de bain, Jacqueline ?

JACQUELINE. I'est imprimé bleu et mauve.

STÉPHANE. C'est-tu un deux-pièces, Jacqueline ?

JACQUELINE. Non, c't'un-morceau. Mais i'est vieux, chus supposée d'en acheter un autre l'année prochaine.

STÉPHANE. O.K. ! O.K. ! On va aller plus loin tout le monde. On va augmenter la température. Là i'fait chaud. J'veux que tout l'monde ait chaud, là. On est l'été... l'eau fait bonne à entendre. On sent les rayons de soleil qui nous caressent le ventre... le ventre. C'est comme des mains que les doigts bougent sur nous autres. Eh qu'i'sont bonnes, ces mains-là ! Des vrais massages. Les mains rentrent n'importe où. Oh oh oh boy ! J'aimerais ça être avec vous autres. Sentez-les, ces mains-là. Laissez-les faire. C'est ça, Louison, t'es capable. Vous réalisez même pus ; vous êtes juste des ventres, des ventres chauds avec des envies d'été dedans. On est juste une grosse envie. Que c'est que tu sens dans ton ventre, Louison ? Que c'est que t'as dans ton costume de bain ?

LOUISON. J'ai des fesses, j'ai des fesses.

STÉPHANE. Redis-le.

LOUISON. Ben, je l'ai dit.

STÉPHANE. O.K. Réjean, Louison a des fesses ; toi Réjean, toi mon beau Réjean, c'est quoi que t'as, c'est quoi ta grosse envie ? C'est quoi qu't'as dans ton costume de bain, hein ?

RÉJEAN. C't'une affaire qui se dit pas.

STÉPHANE. Dis-lé, Réjean. T'as besoin de l'dire.

RÉJEAN, *forçant.* J'ai, j'ai...

STÉPHANE. T'as quoi ? Accouche !

RÉJEAN, *forçant, mais faiblement.* J'ai un pénis...

STÉPHANE. C'est ça. C'est ça qu'i'faut dire. Dis-lé plus fort.

RÉJEAN, *forçant.* J'ai un pénis, j'ai un pénis, bonyenne.

STÉPHANE. O.K. O.K. Ça c'est du libido.

Jean-Guy ouvre les yeux et ne peut s'empêcher de sourire.

STÉPHANE. Jean-Guy... Pis toi, Gilberte, où c'est que t'es rendue, là ?

GILBERTE. J't'encore dans mes pitons. Mais j'me sens drôle, on dirait que ça va vite vite pis que chus petite petite. J'sens beaucoup de nerfs.

STÉPHANE. Parle-moi de ça, c'est bon. C'est de la tension qui sort, ça. Comment qu'i'va ton pénis, mon Réjean ?

RÉJEAN. Je l'sens moins que t'à l'heure.

LOUISON. Moi aussi, mes fesses, j'les ai moins.

STÉPHANE. O.K. Pis toi, Jacqueline, à quoi tu penses ? À quoi ça pense une tête comme la tienne ?

JACQUELINE. J'pense à tout ça, là.

STÉPHANE. Parfait, ça, Jacqueline. O.K. On redevient chacun nous autres, l'été s'achève. On se rhabille chacun sur notre chaise. À mon signal, on ouvre les yeux. On est arrivés. Tout le monde a faitte un beau voyage.

JEAN-GUY. Moi, un peu plus, j'pognais un coup de soleil.

STÉPHANE. Pas de danger, faut vouloir pour attraper un coup de soleil...

LOUISON. J'espère j'étais pas vulgaire.

STÉPHANE. T'étais toi, Louison. T'étais sincère.

RÉJEAN. J'aimerais ça dire que j'me sens pas toujours... c'que j'ai dit, c'est la première fois que j'utilise mon subconscient.

STÉPHANE. Réjean, dis pas un mot. Ça arrive à tout l'monde d'être un homme. Gilberte, c'est ben l'fun comment t'as réagi avec ton histoire de pitons. J'espère que tu t'en rends compte.

GILBERTE, *flattée*. Un peu. Mais j'n'avais déjà vu des pitons de même le soir, quand j'me couche. À quoi ça sert, ces pitons-là ?

STÉPHANE. Laisse faire ça. T'es de ton siècle. Tout le monde en a des bibittes. I's'agit de trouver la bonne tapette à mouches, c'est toutte.

GILBERTE. Mais c'est quelle sorte de bibittes que j'ai ?

STÉPHANE. Des petites bibittes de bungalow, des petites bibittes d'ennui.

GILBERTE. Vous pensez que j'm'ennuie.

STÉPHANE. C'est toi qui le sais. Pis Jacqueline, elle, a les a-tu rencontrées, ses petites bibittes ?

JACQUELINE. Ah, moi, des petites bibittes, c'est pas ça qui manque ! Quand une femme rejoint son quarante ans, les bébittes i'sortent de partout. De sa peau, de sa ménaupose en vue, de son mari en *statu quo*. Des fois, on a même pus assez de forces pour lever la tapette à mouches. Mais là j'exagère.

STÉPHANE. Non, non, t'exagères pas. Y a juste les morts qui n'ont pas de bibittes.

JEAN-GUY, *se levant*. Moi, avant, j'avais des coquerelles dans tête : là chus correct, j'ai fait venir la ville.

STÉPHANE. Toé, Jean-Guy, on sait ben, tu n'as pas de bébittes.

JEAN-GUY. Qu'est-ce que tu veux dire par là ?

STÉPHANE. C'est bon de se regarder dans un miroir de temps en temps, Jean-Guy.

JEAN-GUY. Ça dépend de c'qu'on a l'air.

STÉPHANE. Faut être capable de se regarder de face, même si on est plus beau de profil.

JEAN-GUY. Hum hum...

STÉPHANE. J'sais pas si tu m'suis, là ?

JEAN-GUY. Oui, oui, j'te suis.

Stéphane hausse le ton. Le monde est saisi.

STÉPHANE. Mais pourquoi t'as honte de baisser tes culottes d'abord, pourquoi t'es laisses pas tomber ?

JEAN-GUY. Chus de même... Mettons que j'ai des bretelles après mes culottes.

STÉPHANE. C'est correct des bretelles, Jean-Guy, j'ai rien contre ça. Moi-même j'en ai. Mais si t'es enlèves jamais, à un moment donné, tes bretelles i' tiendront pus le coup pis i' vont te péter dans face. Comprends-tu c'que j'te dis là, Jean-Guy ?

JEAN-GUY. Oui, oui.

STÉPHANE. C'est pas niaiseux, c'que j'te dis, Jean-Guy ?

JEAN-GUY. Non, non.

STÉPHANE. Moé si, avant, j'étais comme toi, Jean-Guy. Le monde mourait de rire quand j'arrivais, mais à un moment donné y a quelqu'un qui m'a dit « ça fera », pis qu'i m'a faitte baisser mes culottes. C'gars-là, j'i dois ma chemise aujourd'hui. I' m'a faitte découvrir que j'avais une poubelle dans le fond de moi. Un gars a beau rire dans son salon, i' faut qu'i' sorte ses vidanges de temps en temps, sinon ses farces vont commencer à sentir mauvais. (*Son téléphone sonne, il répond.*) Je peux pas te parler présentement... Je sais, je sais, mais je te rappelle. (*Il raccroche. Revenant à Jean-Guy.*) C'est-tu clair ça, Jean-Guy ?

JEAN-GUY. Ah… j'peux ben les enlever mes bretelles, si ça peut vous faire plaisir, mais j'garantis pas que mes culottes vont tomber tout seules.

STÉPHANE. On va tirer dessus, Jean-Guy, aie pas peur.

LOUISON. Chus sûre que t'es aussi beau sans culottes, Jean-Guy.

JEAN-GUY. C'est pas ça que mon boss m'a dit l'autre jour à son party.

JACQUELINE. C't'effrayant de s'mettre à nu devant le monde. On est tellement habitué à pas s'ouvrir. On est comme des vieux appartements pas aérés.

STÉPHANE. On va ouvrir les fenêtres, Jacqueline, fais-toi-z'en pas, là ; on va faire un grand ménage. O.K. Jean-Guy, es-tu *game* pour passer le balai ?

JEAN-GUY. Oui, oui, où est-ce qu'i'est ?

STÉPHANE. O.K. Là, on va improviser comme t'à l'heure, mais on va aller beaucoup plus loin. Ayez pas peur d'être à vif. Jean-Guy, t'es marié ?

JEAN-GUY. C'est ce que ma femme me dit.

STÉPHANE. Parfait, tu vas faire le mari. Jacqueline, t'as déjà faitte la vaisselle ?

JACQUELINE. Oui, oui.

STÉPHANE. Tant mieux. Ça te fait rien de la faire une autre fois ?

JACQUELINE. Non, non.

Stéphane aide Jacqueline à monter sur le praticable.

STÉPHANE. Bon. O.K. Vous êtes mariés ensemble. Pis vous êtes en train de faire la vaisselle. O.K. Une petite vaisselle ordinaire. Pas de problème de ce côté-là. Vous parlez de n'importe quoi, pis tranquillement vous parlez d'autre chose. Hier au soir, dans votre chambre à coucher, i'est arrivé une goutte qui a faitte déborder le vase. C'est que toi, Jean-Guy, t'as voulu consommer ta femme. Pis, elle, a s'est revirée de bord en disant qu'elle avait mal à tête, elle qui a jamais pris une aspirine de sa vie. O.K. ? Jean-Guy, ça fait sept fois que ça arrive en deux semaines. T'es pas pour faire l'amour avec les calorifères quand même. Ça fait que tu veux savoir ce qui se passe. Pis le meilleur moment que t'as trouvé pour 'i parler, c'est pendant la vaisselle. (*Il claque des mains.*) Allez-y.

JEAN-GUY. J'lave-tu ou j'essuie ?

STÉPHANE. C'est pas à moi qu'i'faut que tu demandes ça. C'est à elle. Allez-y, l'eau va refroidir.

JACQUELINE. Qu'est-ce que j'vas prendre comme lavabo ?

STÉPHANE. Prends ton imagination.

Jacqueline prend une chaise et la met devant elle ; elle commence à laver.

JEAN-GUY. Eh... tu veux-tu laver ou tu veux que j'essuie ?

JACQUELINE. Ah ! tu peux ben essuyer, ça me dérange pas. J'ai les deux mains dedans.

JEAN-GUY. Dans quoi ?

JACQUELINE. Ben, dans vaisselle.

JEAN-GUY. Ah oui, excuse ! C'est parce que... depuis hier... j'ai la tête ailleurs.

Il fait semblant d'essuyer la vaisselle et la met dans une armoire imaginaire en passant derrière Jacqueline. En revenant, il l'embrasse dans le cou. Elle se détache de lui pour lui montrer que ça ne lui plaît pas.

JACQUELINE. Embrasse-moi pas, j'ai mal à tête.

JEAN-GUY. Veux-tu que te fasse un massage ?

JACQUELINE. Ben eh… masse la vaisselle à place.

JEAN-GUY. Pourquoi t'as mal à tête ?

JACQUELINE. Justement…

JEAN-GUY. … Justement quoi ?

JACQUELINE. Essaye pas de m'faire parler, t'as jamais pensé que si j'avais mal à tête, c'est parce que j'en ai une.

JEAN-GUY. Ben oui, je l'sais qu't'en as une tête… J'en parle à tout le monde.

STÉPHANE. Écartez-vous pas, là. Jacqueline, t'as une meilleure raison que ça pour pas être en forme.

JACQUELINE. Ça va trop vite, j'entends même pas qu'est-ce qu'i'me dit.

STÉPHANE. Pense à la vie, à la vraie vie. T'en as un mari, y a pas de raison que t'aies pas de problèmes avec.

JACQUELINE. Ben, c'est gênant.

STÉPHANE. Penses-tu qu'y a juste toi qui as ces problèmes-là ? La communication entre les femmes et les hommes, c'est pas près de finir, ç'a même pas commencé. Pis si ça peut t'encourager : moi, chus divorcé, pis des chicanes, j'en ai eu assez pour laver d'la vaisselle pour une armée. O.K. Jacqueline ? Ça va bien, Jean-Guy, mais lâche pas, hein !

JEAN-GUY. Ouan, c'est pas pire.

STÉPHANE. C'est très pas pire. Mais rentre dedans toi aussi avec ta vie privée. Aie pas peur de slaquer les bretelles. (*Il lui fait un clin d'œil.*) O.K. Laissez faire la vaisselle…

JEAN-GUY. Mais elle dans mon rôle… C'est-tu elle, ou ma femme ?

STÉPHANE. T'es son mari à elle mais c'est ta femme à toi. O.K. Allez-y ! Awaie Jean-Guy ! Attaque !

JEAN-GUY. Pis t'as-tu encore mal à tête ?

STÉPHANE. Awaie Jacqueline, parles-i à ton mari !…

JACQUELINE. Oui, j'ai mal à tête pis… tant que tu vas jouer au tennis jusqu'à trois heures du matin, y a pas une aspirine qui va agir sur moi.

JEAN-GUY. T'apprendras que quand j'joue au tennis jusqu'à trois heures du matin, j'fais pas juste ça…

STÉPHANE. Qu'est-cé tu fais, Jean-Guy ?

JEAN-GUY. J'prends ma douche aussi.

STÉPHANE. C'est ça, Jean-Guy… Tu te laisses insulter d'même, Jacqueline ?

JACQUELINE. Ben, justement, nous deux ça fait combien de temps qu'on n'a pas pris notre douche ensemble ?

STÉPHANE. Excellent, Jacqueline !

JEAN-GUY. Veux-tu qu'on aille en prendre une, là ?

JACQUELINE. l'est trop tard… t'aurais dû y penser avant… Je l'ai pris ma douche à matin.

JEAN-GUY. Ah oui ?… chus pas sûr de d'ça…

STÉPHANE. Awaie Jean-Guy, lâche la douche un peu, que c'est que ça te donne de prendre ta douche avec, si t'es propre pour rien après. Tsé veux dire.

JEAN-GUY. Ouen justement… tu l'sais peut-être pas, mais t'es pas une vraie femme.

STÉPHANE, *baveux*. C'tu vrai ça, Jacqueline ?

JACQUELINE. Qu'est-ce que tu veux dire par là ?

JEAN-GUY, *baveux.* Demande-lé à notre matelas, i'va te l'dire.

Les autres ricanent un peu.

JACQUELINE. Justement, parlons-en du matelas. Tu sais même pas comment ça s'écrit le mot « affection ».

JEAN-GUY. C'est dur d'être affectueux avec une planche de bois.

Réjean la trouve bonne. Les femmes sont un peu offusquées.

STÉPHANE, *à voix basse.* C'est ça, Jean-Guy.

JACQUELINE. En tout cas, c'est pas en rentrant un clou d'dans que tu vas la disposer.

JEAN-GUY, *de plus en plus baveux.* Y a du bois qui se travaille mieux que d'autres… Toi pour te réchauffer, i' faudrait que j'mette le feu à chambre à coucher au complet. Y a pas moyen de t'allumer, on dirait que t'as un détecteur de fumée accroché dans le cou.

Réjean rit.

JACQUELINE. C'est pas ma faute si t'es pyromaniaque. Un feu ça se part lentement, avec du petit bois avant, pis après le gros bois. Vous autres, les hommes, vous pensez que l'affection c'est de baisser vos pantalons.

GILBERTE, *approuvant.* Ouan.

STÉPHANE, *très bas.* Ah oui ?

JACQUELINE. Oui, y a d'autres choses que la sueur en amour. Respirer fort, c'est pas nécessairement une preuve d'amour. N'importe quel bœuf est capable de faire ça. Même que j'connais des animaux qui auraient plus le tour que vous autres avec les femmes. Juste à regarder un documentaire sur les oiseaux, i's'embarquent pas dessus comme des étables, eux autres. Les colibris, avant de lâcher leur semence, y chantent un peu. Vous autres quand vous beuglez, j'te dis que vous êtes pesants s'a branche. Pis chus pas toute seule qui pense ça.

GILBERTE, *souriant.* Moi non plus.

STÉPHANE, *baveux.* Ouen, tu t'fais parler, mon Jean-Guy, hein ? T'as l'air d'un beau moineau, là !… A va te faire manger dans sa main si ça continue.

JEAN-GUY. T'as fini, là, hein ? Penses-tu que je l'sais pas qu'est-ce tu m'as dit ? Vous autres les femmes, chus tanné d'entendre votre courrier du cœur. Tout le monde en a des boutons, mais c'est pas en les pétant dans face des autres qu'on les guérit. C'est pas la cour que vous méritez qu'on vous fasse, c'est un procès. Hein ? (*Il regarde Stéphane.*) Pis compte pas sur moi pour te défendre, ma 'tite fille.

JACQUELINE. Chus capable de m'défendre toute seule.

JEAN-GUY, *hargneux.* Ça paraît pas. Vous autres votre problème, les femmes, c'est que vous en avez pas, vous êtes obligées de vous en inventer. C'est pas compliqué, le désir. Quand un gars arrive chez eux pis qu'i' est fatigué mort, c'est ben normal qu'i' ait le goût de faire l'amour avec sa femme. Mais si, en plus de ça, i'faut qu'i' grimpe sur le cadre de porte pis qu'i' fasse le moineau pour que sa femme dise oui, i'est aussi ben de r'virer serin direct. C'est sûr qu'on embarque pas sur sa femme comme on embarque dans un char. C'est sûr que les femmes ont leurs p'tits caprices quand c'est le temps d'enlever le pyjama. Mais quand ça prend une heure pour l'enlever, y a quet'chose qui marche pas, soit le pyjama, soit la femme qui est d'dans.

JACQUELINE. Ou soit la personne qui essaie de l'enlever. Toé, Jean-Guy Poupart, si tu faisais un référendum avec ta femme avant d'embarquer dans le lit, c'est pas sûr que t'aurais un « oui ».

Louison et Gilberte ricanent cyniquement.

RÉJEAN, *en sourdine.* Eh… ta…. !

JEAN-GUY, *en colère.* Hey, si tu veux parler de vie privée, j'vas t'en parler, moé. Moé, ça fait 15 ans chus marié. Ça fait que des femmes j'en ai vu. C'est pas juste à l'homme de faire le rôle. Ça se fait à deux, ça, ma p'tite fille. T'essaieras ça une bonne fois. Moé, ma femme a jamais eu de troubles avec son plaisir, pis c'est pas parce que a l'a plus d'organes que toi. Pis c'est pas à cause de moé non plus. A connaît son ventre pis est capable de s'organiser à partir de moi. Ça fait que tu devrais interroger tes parties un peu.

JACQUELINE. Tu sauras que mes parties sont faites en femme. Mais une femme c't'un tout, c'est pas rien qu'une partie. Quand une femme se fait réveiller presque en état de sodomie, là, a l'plaisir pas mal rabougri. On dirait que, pour toi, les femmes font pas partie des droits de l'homme. Ta femme le sait-tu que c'est quasiment un viol votre affaire, des fois ?

JEAN-GUY. Ma femme a toujours été très consciente de mes relations sexuelles avec elle. A en sait ben plus long que tu penses, ma femme. T'es peut-être féministe, mais elle est institutrice. Ça fait que l'ignorance c'est pas son fort.

JACQUELINE. T'es ben fin, t'es ben fin.

JEAN-GUY. J'ai pas dit ça qu'j'étais fin, loin d'là. Fais-toi-z'en pas, ma femme est comme toi, est loin d'être parfaite. T'apprendras qu'c'est pas toujours un cadeau d'être marié avec une bolle. Vous autres, les femmes, c'est toutte ou rien. Ou ben donc vous avez pas de tête, ou ben donc vous avez pas d'cœur. Un gars intelligent, i'l'montre pas nécessairement ; moi, à chaque phrase que j'dis qui a du bon sens, elle en sort quatre. Un gars aime ça avoir raison de temps en temps. Penses-tu qu'a l'sait pas que son chèque est deux fois plus gros que le mien ? Y a des humiliations qui font mal, O.K. ?

JACQUELINE. Penses-tu qu'y a juste les femmes qui ont le droit d'avoir des humiliations ?

JEAN-GUY. J'ai pas dit ça, mais y a des humiliations qui sont... négatives à la longue. Quand tu sors d'une vue pis que c'est ta femme qui te dit pourquoi t'as aimé l'film, t'as l'impression d'avoir un clou à place de la tête. Pis quand a te dit qu'a veut se libérer en plus, tu te d'mandes si c'est pas de toi.

STÉPHANE. Où c'est qu'a se libère ?

GILBERTE. Que c'est qu'a fait ?

JEAN-GUY. A fait que a fait du ballet-jazz. Avec un supposé nègre qu'i' paraît qu'i' sent le soleil, pis qui est faitte comme un Grec à part de ça : a peut ben être mélangée. Mais quand j'i d'mande pour danser avec moé, par exemple, c'est comme si j'i annonçais que son père est mort. Les deux jambes 'i tombent, ça fait que toé, avec ton problème de cuisses serrées, t'aurais d'la misère à m'pomper avec ça, O.K. ?

JACQUELINE. C'est pas les cuisses que j'ai d'serrées, tu sauras.

STÉPHANE. Que c'est que t'as de serré d'abord ?

47

JACQUELINE. Vous comprenez rien… C'est pas parce que j'aime pas ça que je suis frigide. Chus prête à faire l'amour à n'importe qui, n'importe où, d'abord qu'i'm'parle avant. La langue ça pas été inventé juste pour embrasser.

STÉPHANE. Qu'est-ce que tu veux qu'on fasse avec notre langue, Jacqueline ?

JACQUELINE. Ben j'veux, j'veux…

JEAN-GUY. Tu sais pas ce que tu veux. C'est rien que ça que tu mérites.

JACQUELINE. Toé, mêle-toi pas de moé. O.K. ? Chus peut-être, chus peut-être…

STÉPHANE. T'es peut-être quoi ? T'es peut-être quoi ?… Awaie !

JACQUELINE. O.K. chus peut-être niaiseuse, ni institutrice, euh peut-être frigide même, mais ça change rien à ce que je suis. Chus une femme pis toé dis-toé ben que t'en seras jamais une.

JEAN-GUY. Je l'sais, je l'sais…

STÉPHANE. Que c'est tu sais ? Awaie !

JEAN-GUY. Je l'sais que ch't'un homme.

STÉPHANE. T'es sûr de ça, Jean-Guy ?

JEAN-GUY. Avec elle, par exemple, chus pas sûr que j'en s'rais un.

JACQUELINE. Ni avec ta femme ç'a l'air. Ça doit pas être drôle d'être marié avec un arriéré sexuel.

JEAN-GUY. Redis jamais ça, toé. Espèce de sainte nitouche. Toé pis ta face de vieille fille. Tu serais bonne pour faire une annonce de couvent.

JACQUELINE. Hey, que c'est qui se passe ? Pourquoi c'est moi ? J'le connais pas, lui. C'est-tu d'ma faute si j'ai quarante ans ? J'te dis qu't'as dû en faire brailler des femmes, toi.

Jacqueline éclate en sanglots.

STÉPHANE. O.K. C'est fini ! On arrête de péter, là.

GILBERTE. C'est fini ma chouette, chus là, là. Viens, viens dans mon épaule. (*À Jean-Guy :*) Des hommes comme toé, ça devrait pas être permis.

JEAN-GUY. Ben oui... mais c'est nous deux qu'i'a commencé.

JACQUELINE. Allez-vous-en, laissez-moi brailler de moi-même.

STÉPHANE, *faisant un clin-d'œil à Gilberte.* Non, non, c'est correct. J'avais le contrôle. C'était prévu. T'as été parfait, Jean-Guy. Ç'avait rien à voir avec toi.

Stéphane prend Jacqueline dans ses bras.

STÉPHANE. O.K. Jacqueline, chus là, là. J'm'occupe de toi. Laisse-toé aller sur moi. Tu t'en rends pas compte, mais tu viens de t'faire beaucoup de bien. C'est pas à toi à nous dire merci c't'à nous autres. Tu nous as montré comment ça se casse une croûte, pis t'as pas eu peur de nous montrer est faite à quoi ta tarte.

GILBERTE. Ça peut juste aller mieux, Jacqueline.

JACQUELINE. J'm'excuse, mais j'y ai été plus fort que moi.

STÉPHANE. Pas trop sonné, Jean-Guy ? C'est le temps de la détente. Tu peux en faire des farces, là.

JEAN-GUY. Ouen... ouen... dans... une minute. Jacqueline, j'aimerais ça... m'excuser parce que... j'pense que je... l'mérite. C'est pas à toi que j'parlais t'à l'heure, c'est à toute l'éducation que j'ai reçue. (*Aux autres :*) J'm'excuse... euh... au... au nom des femmes aussi.

JACQUELINE. Je l'sais, Jean-Guy. J't'inviterais à souper n'importe quand t'sais. C'est pas de ta faute si t'es un homme pis ch't'une femme.

STÉPHANE. S'il vous plaît tout le monde. Ce qu'on vient d'assister, ça se voit pas à tous les coins de rues, pis c'est pas nécessaire d'en parler à tous les coins de rues non plus. Le but de l'exercice que j'ai dirigé, c'est de montrer à quel point un être humain est lui-même dans l'fond. Avant de brailler sur scène, il faut être capable de brailler dans vie. Pas vrai, *good,* chus content, on traverse des portes là, des grosses portes !!

RÉJEAN, *vers Jean-Guy.* Hey, Jean-Guy ! Ç'avait peut-être pas de nom le rôle que tu faisais, mais c'est écœurant. Sur une scène, ç'aurait fait ému pas mal.

JEAN-GUY. Merci...

LOUISON, *à Réjean.* Même chez nous quand ça chicane, c'est jamais d'même.

RÉJEAN. J'comprends.

STÉPHANE. En tout cas, Jacqueline, quand tu t'es vidée, j'pensais pas qu'i'en sortirait autant que ça. Un peu plus, i'aurait fallu sortir la moppe.

GILBERTE. Ah oui... c'tait effrayant de t'voir, Jacqueline.

JACQUELINE. C't'inimaginable. J'm'appartenais pus. J'ai faitte un vrai dégât de moi-même.

STÉPHANE. Dis pas ça, Jacqueline. T'étais belle à voir. (*Il lui prend le menton.*) T'es quelqu'un, t'sais, Jacqueline.

JACQUELINE. Ah, c'est sûr, ça m'a fait du bien. J't'épuisée, mais c't'une bonne fatigue. La seule chose que je regrette un peu, c'est que j'aurais aimé ça que ce soit mon mari à place de Jean-Guy. Pas pour l'engueuler, mais pour 'i montrer ma facette. Mais chus sûre que ça va muer notre quotidien quand même.

STÉPHANE. Le quotidien, c'est faitte pour muer.

JEAN-GUY, *s'approchant.* Stéphane, merci... j'pense qu'aujourd'hui j'ai compris quèque chose. J'peux pas dire quoi, mais quet'chose...

STÉPHANE, *lui mettant une main sur l'épaule.* À un moment donné, j'te l'dirai... Merci, groupe, c'est extraordinaire ce que vous me permettez de vous faire vivre !

3

Ils sont dans l'amphithéâtre du centre culturel. Louison et Réjean sont sur le grand praticable en train de répéter. Louison est en collant avec ses bottes d'hiver aux pieds. Ils font une scène d'amour. Les autres sont assis dans la salle et assistent à la répétition. Stéphane est en collant mais il a mis une chemise de style romantique à manches bouffantes. Jean-Guy porte un pantalon et une chemise sport.

RÉJEAN, *qui a de la difficulté à prononcer Barbara.* Ah Baraara ! Enfin seuls… (*Il l'entraîne sur le sofa-lit.*) J'ai le goût de nous deux, mon amour.

LOUISON. Moi aussi, j'ai envie de nous deux.

RÉJEAN. Devrions-nous faire l'amour ?

LOUISON. J'aimerais mieux qu'on s'en parle avant.

RÉJEAN. Quand tu voudras… Ah Bara-bara…

STÉPHANE. Pas Bora Bora, Barbara !… Louison, c'est pas une île, c'est une femme.

Jean-Guy et Louison rient. Réjean est humilié. Il rit jaune.

RÉJEAN. Excusez-moi, monsieur Stéphane. (*Vers Louison.*) Ah ! Bar a ra bar- en tout cas… (*Il lui caresse la joue gauchement.*) Comme tu as la peau douce, on dirait un champ de pêches, une pêche dans un champ, je veux dire.

LOUISON. Christophe ?

RÉJEAN. Quoi ?

LOUISON. Tu es beau…

RÉJEAN. Tant mieux…

LOUISON. Je t'aime, Christophe.

RÉJEAN. Moi aussi, tu sauras.

Ils s'embrassent maladroitement.

STÉPHANE. O.K. On s'embrasse. On a pas peur de manquer la face de l'autre. Awaie Réjean, c'est pas ton oncle que t'embrasses. Non, non, coupez…

Il se lève et va vers eux.

STÉPHANE. On dirait que t'embrasses une machine à coudre, Réjean.

RÉJEAN. C'est que ch'pas habitué d'embrasser en même temps que j'parle.

STÉPHANE. La même chose pour toi, Louison. Des amoureux ça digère pas, ça s'embrasse. Là, on dirait que vous venez de manger un entrepôt de cretons au complet. Oui, oui. Vous avez l'air pesants. L'amour c'est léger ; levez de terre un peu !

LOUISON. Est-ce qu'on recommence une dernière fois ?

STÉPHANE. Non, on va arrêter là pour ce soir. Vous pratiquerez ça chacun chez vous pis on verra ça la semaine prochaine.

JACQUELINE. C'est pas déjà fini ? (*Elle regarde sa montre.*) Ah ! ç'a pas d'allure ! I'reste juste une semaine !

Gilberte monte sur le praticable et s'approche de Stéphane.

GILBERTE. Me semble ç'a l'air trop sérieux comme pièce.

STÉPHANE. Justement, c'est ton rôle à toi de dérider la pièce.

GILBERTE, *à Stéphane*. Oui mais, qu'est-ce que ça fait, une femme de ménage, pour être comique ? C'est-tu bon si j'me mets les yeux croches, comme ça ?

Elle le fait devant Stéphane.

STÉPHANE. Tu peux jouer avec ton plumeau aussi ; regarde, t'essuies quèque chose, pis din coup psst…

Stéphane s'époussette le dessous de bras.

GILBERTE. C'est-tu drôle ça ?

STÉPHANE. Ben oui, c'est drôle, hein ?

Il regarde Réjean.

RÉJEAN. Me semble oui…

STÉPHANE. Là, je l'fais sérieux, mais 'magine si tu l'fais en farce.

GILBERTE. Ouan, c'est vrai.

LOUISON. Stéphane, j'peux-tu y aller ? Mon père m'attend…

STÉPHANE. O.K., tout le monde.

Il tape dans ses mains. Les élèves s'habillent.

LOUISON. Réjean ?… Veux-tu un lift ?

RÉJEAN. Si tu veux. (*S'approchant de Stéphane.*) En tout cas, monsieur Stéphane, pour la trousse de maquillage qu'i'faut vous acheter, ça vous dérange pas si j'vous paie la semaine prochaine ?

STÉPHANE. Chus pas pressé. Tu peux même me faire un chèque postdaté, si tu veux, O.K. ? Salut, bonhomme !

RÉJEAN. Merci… Stéphane. Ha ! ha ! Familiprix !

LOUISON. Bon ben, bye bye le monde.

Réjean sort en trébuchant dans les praticables.

STÉPHANE. Ah oui Jacqueline, j'voulais te dire ça, j'trouve que notre scène du début est pas encore tout à fait dedans, t'sais.

JACQUELINE. Ah ! j'peux ben rester une petite demi-heure encore.

STÉPHANE. Ouan, c'est pas bête ça. Si tu le sens !

GILBERTE, *à Stéphane.* J'peux-tu l'attendre…

STÉPHANE. Ah oui, mais ça peut être plus long qu'on pense, ça, Gilberte. C't'une pratique d'émotions, t'sais.

JACQUELINE. Ben oui. Attends-moi pas, Gilberte, voyons donc. C'est pas pour une fois…

GILBERTE. O.K. d'abord. Bonsoir Stéphane. Bonne émotion. Bon, ben, Jacqueline j't'appelle demain, ou tu m'appelles, ou sinon on se rejoint.

JACQUELINE. Sans faute. Bonsoir ma grande.

Stéphane commence à installer trois chaises pour figurer un banc.

JEAN-GUY. Écoute, Stéphane, j'veux pas retarder votre pratique d'émotion, mais j'aimerais ça… à un moment donné, si t'es capable, qu'on aille prendre un café ou un club-sandwich ensemble.

STÉPHANE. J'comprends ça. C't'à propos de ta femme…

JEAN-GUY. On peut rien te cacher, toé…

STÉPHANE. Pis tu 'i as-tu dit ce que j't'avais dit.

JEAN-GUY. Oui mais… (*Jacqueline, mal à l'aise, s'éloigne.*)
Euh…

STÉPHANE. Mais quoi ?

JEAN-GUY. Ben, c'est ça, faudrait que j't'en parle parce
que… de ce temps-là, faut quasiment que j'couche dans
boîte à pain.

STÉPHANE. C'est parfait ça.

JEAN-GUY. Oui mais…

STÉPHANE. Fais-toi-z-en pas, dis-toi que… tu passes par
là, c'est toutte. On ira prendre un café un bon soir, pis
on videra le sujet.

JEAN-GUY. Mais i' faudrait l'prendre vite notre café
parce que…

STÉPHANE. Ça se boit vite un café, Jean-Guy, fais-toi-z'en
pas, O.K. ?

JEAN-GUY. Ouain, mais y a pas juste ça. J'me regarde aller
de ce temps-là, pis j'me trouve pas ben ben drôle.

STÉPHANE. Fais-toi-z'en pas. Moi-même ça m'arrive de
pas être drôle. Salut Jean-Guy ! Voyons donc.

JEAN-GUY. Oui mais, Stéphane… Bonsoir Jacqueline.
Merci Stéphane.

Il sort.

STÉPHANE. Cré Jean-Guy, on dirait qu'i'sait pas que des
problèmes, c'est fait pour être réglés.

JACQUELINE. En tout cas, si on était pas venu ici,
j'pense qu'on saurait même pas encore qu'on avait des
problèmes.

STÉPHANE. C'est pas juste à cause de moi, vous autres aussi, vous avez faite votre part. O.K. ma petite Jacqueline, on va reprendre la scène, là, pis tu vas y aller à fond. Aie pas peur d'en mettre !

JACQUELINE. À partir d'où qu'on commence ?

STÉPHANE. À partir du banc, O.K. ? Viens, on va s'asseoir.

JACQUELINE. J'ai d'la misère à partir quand j'chus t'assise.

Ils s'assoient.

STÉPHANE. Ben voyons. Bon regarde-moi ben, là. L'idée de base dans cette scène-là, c'est que nous nous aimons pis quand on s'aime y a de la passion. C'est ça que j'veux voir à soir.

JACQUELINE. Chus tellement pas habituée d'être passionnée. Surtout toute seule avec un homme.

STÉPHANE. Tu commences mal, là. (*Il sourit…*) Oublie-toi, là, pis concentre-toi. T'as juste à m'suivre.

JACQUELINE, *fermant les yeux.* O.K. go !

Stéphane prend son texte qui est sur ses genoux puis prend les deux mains de Jacqueline.

STÉPHANE. Rien ne pourra plus nous séparer l'un de l'autre.

JACQUELINE. Ça commence avant…

STÉPHANE. Pas grave ! La vie nous sourit à tout jamais.

JACQUELINE. Je t'aime, Jean-Paul.

STÉPHANE. Moi aussi, Barbara.

JACQUELINE ET STÉPHANE. « Pour toute la vie. »

Ils s'embrassent. Stéphane se retire rapidement.

STÉPHANE. Non, non, non, chus désolé, Jacqueline, mais j'sens rien, t'es pas là, Jacqueline. On dirait que t'embrasses… euh… Réjean, comprends-tu ? La bouche, Jacqueline, c'est supposé être le palais des passions ; c'est cru à dire, mais la bouche c'est le portique de la chambre à coucher. Comprends-tu ?

JACQUELINE. Ouais, mais ché pas comment faire pour avoir de la passion. Embrasser c'est pas naturel chez moi. J'embrasse pas à cœur de jour. Comment j'pourrais faire ? Le rôle j'le sens toutte, mais chus pas capable de l'exprimer.

STÉPHANE, *continuant de lui tenir la main.* Jacqueline, pourquoi tu t'laisses pas aller ? T'es une femme comme tout l'monde. On dirait que tu t'refuses au plaisir. À moins que ce soit moi ? Tu peux me l'dire, t'sais.

JACQUELINE. Oh non ! au contraire, j'veux dire c'est pas ça… Enfin eh… j'me sens très vibrée, pas vibrée euh… en confiance comme qui dirait. Je l'sais, c'est pas toi que j'embrasse dans l'fond. C'est le rôle. Mais du théâtre de même, c'est exigeant physiquement… dans ce sens-là j'veux dire. J'm'exprime mal, là, mais en tout cas c'est pas vous… toi. Tu comprends, Stéphane ?

STÉPHANE. Ben certain j'comprends, pis chus content que toi aussi tu le comprennes mais y a une affaire que j'comprends aussi… c'est… tes lunettes. Ça te nuit quand t'embrasses, hein ?

JACQUELINE. Ben je l'sais pas, j'ai les yeux fermés quand j'embrasse.

STÉPHANE. Ben justement, si t'as les yeux fermés tu n'as pas besoin. De toute façon, i'paraît que l'amour ça rend aveugle : qu'est-ce ça donne d'avoir des lunettes ?

Il lui enlève ses lunettes.

JACQUELINE. C'est parce que chus ben myope, hein. J'ai un œil qui a six sur dix pis l'autre chus même pas sûr qu'i'passe.

STÉPHANE. Eh ben c'est parfait ! Comme ça tu sauras même pas que c'est moi que t'embrasses.

JACQUELINE. Ah ben j'aime autant que ce soit toi que n'importe qui.

STÉPHANE. Merci.

JACQUELINE. J'ai pas dit ça pour ça.

STÉPHANE. C'est ça que j'ai entendu par exemple.

JACQUELINE, *amusée.* Ah hey ! ça va faire, on s'embrasse-tu là ?

STÉPHANE. Si tu me le demandes.

JACQUELINE. Ah ! Stéphane ! arrête de faire le fou, là. J'vas mettre mes lunettes, si ça continue. Awaie, fais ton Jean-Paul !

STÉPHANE. O.K. Barbara. (*Il devient sérieux.*) Toute la vie nous sourit.

JACQUELINE. J'ai les mains froides, hein ?

STÉPHANE, *à voix basse.* C'pas grave. Dis : « Je t'aime, Jean-Paul. »

JACQUELINE, *passionnée.* Je t'aime, Jean-Paul.

STÉPHANE. Moi aussi, Barbara, pour toute la vie.

Ils s'embrassent. Le baiser devient de plus en plus passionné. Jacqueline ne se contrôle plus et Stéphane en profite. À un moment donné, Jacqueline se défait de son étreinte.

JACQUELINE. Ah mon Dieu ! c'était-tu correct ?

STÉPHANE. C'est vraiment mieux là, Jacqueline.

JACQUELINE. Ah non, c'est pas du théâtre ça ! C'est la vie.

STÉPHANE. La vie, c'est du théâtre, Jacqueline. On sait jamais ce qu'y a dans le prochain acte.

JACQUELINE. C'est pas une raison. C'est pas mon mari ni un rôle que j'ai embrassé : c'est toi, c't'effrayant.

STÉPHANE. J'm'excuse si t'as pas aimé ça.

JACQUELINE. Non, c'est pas la question. Chus mariée, Stéphane. Chus pas mariée au théâtre, chus mariée dans vie. Tu réalises-tu que j't'ai embrassé ?

STÉPHANE. Qu'est-ce que tu veux qu'on fasse, Jacqueline ? Un baiser ça s'efface pas. Moi non plus j'avais pas le goût de t'embrasser vraiment. C'est pas notre faute si on est sortis de notre personnage. C'est fini là. Ça arrive ça, des fois, au théâtre.

JACQUELINE. Oui mais chus pas une actrice, moi. Chus une épouse, pis j'ai un mari en plus.

Il la prend par les épaules.

STÉPHANE. Écoute, Jacqueline, c'est fini là. C'est fini. C'est fini notre histoire d'amour. Ça aura été court mais ç'aura été beau. Y a personne qui l'sait pis ça va rester entre nous deux. De toute façon, on a rien fait de dangereux, hein ? Hein, Jacqueline ?

JACQUELINE. Oui, mais c'qui est effrayant, c'est que même si mon mari s'en rend pas compte j'ai aimé ça. Comprends-tu, Stéphane ? Pourquoi j'ai aimé ça, hein, pourquoi j'ai aimé ça t'embrasser ?

STÉPHANE. Ça c'est un mystère. On s'en allait à même place. Mais on savait pas qu'on prendrait le même autobus. Quand je t'embrassais tantôt, Jacqueline, excuse moi de t'dire ça, mais quand j't'embrassais, c'est bizarre, mais je nous voyais tous les deux à l'Île-aux-Coudres.

JACQUELINE. Non Stéphane…

STÉPHANE. C'est bête à dire mais l'Île-aux-Coudres, c'est un peu mon île à moi. Y a un hôtel là-bas genre, avec des petites nappes bleues j'pense : ça s'appelle La Roche pleureuse. Tu connais-tu ça ?

JACQUELINE. Non, pas encore…

STÉPHANE. Chaque fois que j'y vas, chus quasiment tout seul. J'me loue une chambre. La chambre numéro 7. Les draps sont propres, l'armoire sent le paysan, le lit est mou comme l'ancien temps pis la cuisine est faite à main par une grosse bonne femme qui arrête pas d'être le fun. Mais c'est pas ça que j'veux dire. L'affaire c'est que y a des roches là-bas. Y en a une surtout. Une grosse roche plate, juste en face du fleuve. Chaque fois que j'y vas, j'passe mes journées sur ce roche-là. Pis t'à l'heure, quand j't'embrassais, j'faisais rien que penser à c'te roche-là.

JACQUELINE. Arrête. (*Elle lui met la main sur la bouche.*) Stéphane. T'as pas le droit de m'dire ça.

STÉPHANE. J'ai fini là. Toutte ce que j'voulais dire c'est que j'aurais aimer ça te montrer mon île pis te présenter mes mouettes… j'dis des niaiseries, là… je l'sais…

JACQUELINE. Non, non, non, tu dis pas des niaiseries ! C'est sûr ça m'tenterait de la connaître, ta roche… Écoute, Stéphane, j'devrais même pas te parler. Dis-moi de me taire… C'est-tu ma faute à moi si tu m'as faitte me révéler ? Avec mon mari, chus juste sa femme mais avec toi, là, j'ai senti que chus quelqu'un d'autre. Comment ça se fait c't'arrivé ça ? J'pensais c'était juste la franchise qu'y avait entre nous deux. Y a pas moyen d'être franc sans aimer quelqu'un.

STÉPHANE. Je l'sais ben. Mais dis-toi que c'est seulement un rêve, Jacqueline. Qui c'est qui rêve pas, hein ? Y a juste les morts. Là, fais-toi-z'en pas, on va s'en aller chacun de notre côté pis on va se réveiller chacun chez nous, O.K. ?

JACQUELINE. Dis pas ça... j'ai pas vraiment le goût d'me réveiller. Ça fait toujours mal de s'réveiller en plein milieu d'un rêve.

STÉPHANE. D'abord veux-tu qu'on le finisse, notre rêve ?

JACQUELINE. Oui, mais d'un coup notre rêve finit en cauchemar.

STÉPHANE. Non, non, fais-toi-z'en pas. J'ai l'habitude de rêver, chus pas le genre à manger du porc frais avant d'aller m'coucher. Pis toi non plus, j'pense. Hein ?

Il lui sourit.

JACQUELINE. Tu penses ? Tu penses qu'on pourrait s'aimer pis que ça nous ferait pas mal ?

STÉPHANE. J'ai pas l'habitude de faire mal aux femmes, Jacqueline.

JACQUELINE. Je l'sais pus, Stéphane...

STÉPHANE. Moi non plus...

Il la prend dans ses bras et l'embrasse. Après une courte résistance, elle se laisse aller.

Fade out.

DEUXIÈME ACTE

4

Les comédiens jouent de façon monocorde. Jacqueline et Réjean sont particulièrement « off » – ils ont de fausses intentions – Louison est exaltée.

Gilberte s'amuse ferme – elle rit –, improvise plein de blagues de son cru, va même jusqu'à jouer la femme saoule, ce qui – de toute évidence – n'était pas prévu en répétition. Ce cabotinage de Gilberte irrite et déstabilise Stéphane.

Sur la scène, avec Stéphane.

GILBERTE. Regarde dans la troisième rangée, c'est ma sœur Thérèse pis le gros chat sauvage à côté, c'est son mari Richard.

Silence.

JEAN-GUY. C'est pas croyable le monde qu'y a…

GILBERTE, *apercevant son mari.* Regarde donc mon Roger, j'espère qu'i'va être fier de ses meubles.

JEAN-GUY. Tiens, c'est elle ma femme.

GILBERTE Où ça ? J'vois rien.

JEAN-GUY. Regarde, a passe devant la moustache, là.

GILBERTE Oh ! mais a l'air distinguée, tu trouves pas ?

JEAN-GUY. Ben certain…

Jacqueline se dirige vers Stéphane tout énervée.

JACQUELINE. Stéphane ?…. Qu'est-cé j'ai l'air… Chus tellement nerveuse. J'me suis quasiment mis du bleu sur les lèvres. Mes yeux ont-tu l'air beaux ?

STÉPHANE, *le crayon dans la bouche*. Tes yeux sont sensationnels, Jacqueline, les deux.

JACQUELINE. Stéphane… c'est peut-être pas le temps mais… y a une discussion que j'voudrais te parler.

STÉPHANE. Quoi ?

JACQUELINE. C'est parce que depuis qu'on a… hein… t'sais ?

STÉPHANE. Oui, oui, oui… Écoute, chus d'accord avec toi, Jacqueline, mais là… (*Il regarde sa montre.*) Ça commence, là, va prendre ta place, O.K. ? Merde…

JACQUELINE. Merci.

Elle s'éloigne. Stéphane entre sur scène et fait un signe à Réjean.

STÉPHANE. Mesdames et messieurs, bonsoir. Mon nom est Stéphane Sylvain. (*Pointant son visage.*) Peut-être ce visage ne vous est-il pas inconnu ? Peut-être l'avez-vous déjà vu à la radio, la télévision communautaire, ou encore au théâtre dans *Eros et Libido*, *SOS Bobette* ou encore dans l'ineffable *Un amant dans ma sécheuse* présenté en reprise l'été prochain au Théâtre de la Chaudière… Mais peu importe, car ce soir, ce n'est pas moi la vedette du spectacle, ce sont ces formidables inconnus que vous connaissez si bien et qui vibrent pour vous dans les coulisses en ce moment.

En arrière-scène, Louison et Réjean.

LOUISON. Dis-moi quèq'chose Réjean, j'vais perdre connaissance.

RÉJEAN. Qu'est-cé que tu voudrais que j'te dise ?

LOUISON. Dis-moi n'importe quoi, empêche-moi de mourir, j'm'entends le cœur battre jusque dins boucles d'oreilles. C'tu normal tu penses ?

RÉJEAN. Je l'sais pas, j'en ai pas de boucles d'oreilles moi...

STÉPHANE. Mais revenons à notre mouton... La pièce que nous vous présentons ce soir a été créée en osmose collective lors d'ateliers totalement improvisés. La façon que nous avons procédée est que, à partir d'un vaudeville célèbre, nous avons tenté de l'adapter à nos vies personnelles et conjugales. Je tiens cependant à signaler que toute ressemblance avec des personnes vivantes ou décédées serait pure coïncidence. Je vous demanderais aussi d'éteindre téléphones et cigarettes cellulaires. Voici donc pour vous : *Quiproquo à Roxboro*. Place au théâtre !

DÉBUT DE LA PIÈCE

Réjean prend son hockey pour donner les trois coups. Les lumières s'éteignent. Réjean essaie de frapper mais se trompe dans le nombre de coups.

Sur la scène. Stéphane seul, assis sur le divan.

STÉPHANE. Haaaa... !!! Je suis vraiment de bonne humeur ce soir ! Pourquoi ? Eh... bien, parce que dans quelques minutes, Barbara sera dans mes bras. Tout est en place : ma femme vient de partir pour une fin de semaine en Europe, moi-même elle me croit en route pour un week-end de philatélie en Philadelphie ! Mais parle, parle, je n'ai pas encore donné son congé à Adèle, notre femme de ménage. (*Haussant la voix.*) Adèle ??... Adèle ???

Gilberte entre en scène, elle cabotine et feint d'être saoule. Elle joue en regardant le public, elle joue très « comic », titube à

67

la « Ti-Zoune », ce qui trouble visiblement Stéphane, pris au dépourvu et qui doit improviser dès le départ ! Elle joue aussi du plumeau ! Stéphane est sidéré par son attitude mais tente de ne pas le laisser voir.

GILBERTE, *qui entre en titubant et joue la femme saoule.* Ah ! Salut patron !... Savez pas la meilleure ? (*S'accrcoche à Stéphane et regarde la foule en riant.*) J'viens de pogner la femme de ménage en train de vider vot'40 onces de gin. (*Elle perd l'équlibre et lui arrache presque le veston ou une manche du veston.*) Oup'pelaye !!

STÉPHANE, *décontenancé, qui improvise.* Mais voyons, c'est... c'est vous la femme de ménage, Adèle !!?

GILBERTE, *titubant sur place.* C'est ça j'y ai dit, mais elle voulait rien savoir... A me croyait pas... (*En bougeant son plumeau dans les airs.*) Voyons ! Ben sale ici !

Elle regarde la salle en riant.

STÉPHANE, *toujours déstabilisé.* ... Bon parfait ... Merci beaucoup Adèle. Allez je... je vous donne congé.

GILBERTE. Je l'ai pognée à fouiller dans votre portefeuille aussi !

STÉPHANE. Parfait Adèle, parfait...

Il pousse Gilberte vers la sortie.

GILBERTE, *se retournant vers Stéphane, toujours en riant, jouant encore la femme saoule.* Moi ça me déprime du monde comme elle... (*Elle le colle.*) Vous qui êtes si bon, si gentil, si propre. (*Elle regarde dans une de ses oreilles.*) À part dans l'tympan j'veux dire !! (*Elle l'époussette dans l'oreille.*) ... Wow ! Méchante trompe de Saint-Eustache ! Élevez-vous des abeilles coudonc ?

Elle rit de plus belle vers le public.

GILBERTE. Jamais vu tant de cire. (*Elle lui écrase le plumeau sur le nez.*) Quen toi !

STÉPHANE, *visiblement tanné avec un faux sourire.* Parfait, Adèle. Ça va aller. Allez ouste ! Je vous fous à la porte. (*Il la pousse en riant jaune.*) Allez... allez dehors, j'ai dit.

Gilberte, qui s'apprête à sortir, s'arrête soudain.

GILBERTE, *sourire en coin.* Ah mon Dieu ! Mon homard !

STÉPHANE. Quel homard ?

GILBERTE. Pas ça... J'ai un homard dans le frigidaire.

STÉPHANE, *exaspéré.* Bon ! C'est quoi le problème ?

GILBERTE, *tournée vers le public...* C'est que y est encore vivant... La dernière fois je l'ai vu, y frenchait avec le jambon ! (*Éclate de rire.*) En passant, savez-vous pourquoi les Newfies ferment leur fournaise toute l'hiver ? Pour économiser le chauffage. Oh boy ! Pourquoi y mettent pas de goudron sur leurs toasts ? Parce que ça goûte le yable !

STÉPHANE, *la poussant encore vers la sortie.* J'ai dit « Merci, Adèle ! »

Gilberte part enfin...

GILBERTE. À tantôt patron... (*Vers la foule, en riant.*) M'as aller voir si le jambon est pas tombé enceinte... (*À Roger dans la salle.*) Arrête de rire, toi !

Gilberte sort de scène en riant vers la foule. Stéphane reste seul en scène. Comme Jacqueline ne se décide pas à entrer, Stéphane l'appelle.

STÉPHANE. Crée Adèle ! Mais qu'est-ce qu'elle fait ? (*Regarde sa montre et vers la coulisse aussi. Il fait signe à Jacqueline de traverser de l'autre côté.*) Allez mon amour, arrivez... Barbara ?... Barbara ? J'ai tellement hâte de vous voir, mon amour !

Sonnette de porte.

STÉPHANE. Ah ! c'est sûrement elle !

Stéphane ouvre la porte et Jacqueline entre sur scène.

JACQUELINE, *figée.* Ha ! Jean-Paul…

STÉPHANE. Barbara… Ton mari ne t'a pas suivie au moins ?

JACQUELINE. Non, mon mari est parti en Turquie, visiter des tapis, il ne revient pas avant lundi…

STÉPHANE. À propos, comment aimes-tu mon chez-moi ?

JACQUELINE. Je suis sans connaissance… quel ameublement de qualité !

STÉPHANE. Tout ça vient de chez Roger Grenon.

JACQUELINE. Roger Grenon ? Wow ! Tu as tellement de goût, mon chéri, ça m'étonne même que tu m'aies choisie…

Ils vont s'asseoir sur le sofa.

STÉPHANE. Des poufs on en trouve dans n'importe quel magasin, mais des yeux comme toi on en trouve pas n'importe où.

JACQUELINE. Comme… Comme tu as le tour de me parler, chaque mot a l'air d'un poème dans ta bouche.

STÉPHANE. Faisons fi de nos mots et laissons nos lèvres se parler.

JACQUELINE. Ah ! Jean-Paul…

STÉPHANE. Barbara, la vie nous sourit à tout jamais.

JACQUELINE. Je t'aime, Jean-Paul.

STÉPHANE. Moi aussi.

STÉPHANE ET JACQUELINE. Pour toute la vie…

Ils s'embrassent.

LOUISON, *se tournant vers la coulisse elle hausse la voix pour lancer une réplique.* Youhou ? Il y a… il y a-t-il quelqu'un ?

STÉPHANE. Ciel, ma femme !

JACQUELINE. Sommes-nous cuits, Jean-Paul ?

STÉPHANE. Pas tout à fait… Vite, dans le garde-robe !

Jacqueline se cache, Stéphane se cache aussi dans une autre pièce. Louison et Jean-Guy font leur entrée.

LOUISON. La voie est libre, tu peux venir, mon amant…

JEAN-GUY, *collé sur elle.* Me voilà !

LOUISON, *monocorde.* Ahhhhhh, Christophe ! Tu excites la bête en moi. Allez, butine-moi mon bourdon…

JEAN-GUY. Oui, tout de suite ! (*Jean-Guy se tourne alors vers le sofa.*) Ha, ha ! Quel magnifique sofa !

LOUISON. Oui, car il vient de chez Roger Grenon !

JEAN-GUY. Pas vrai, un Grenon ! Ça c'est de la qualité !

LOUISON. Oui et en plus de la beauté, Roger Grenon offre une garantie de 5 ans ou 5 000 km !

JEAN-GUY. Pas vrai ! Merci Roger !

LOUISON, *toujours monocorde.* Ta gueule et embrasse-moi…

JEAN-GUY, *sur le même ton morne.* Da-ccord…

Ils s'embrassent sans passion. On entend alors la voix de Stéphane qui sort de sa cachette.

STÉPHANE. Rébecca ? C'est toi ma chérie ?

LOUISON, *sans excitation.* Ciel, mon mari !

JEAN-GUY, *faux !* Ah non…

LOUISON. Vite, cache-toi !

JEAN-GUY. Non, trop tard !

Il l'embrasse de plus belle. Stéphane entre en scène et les surprend.

STÉPHANE. Rébecca ?!

LOUISON. Jean-Paul ! Qu'est-ce que tu fais ici, mon chéri ? Tu n'es pas à Philatélie ?

STÉPHANE. Non, notre avion a oublié de décoller.

LOUISON. … Ah bon !

STÉPHANE. Et toi ? Que fais-tu avec cet hurluberlu dans ta bouche ?

JEAN-GUY. Nous ! Nous nous aimons, tu sauras…

Jacqueline sort elle aussi de sa cachette.

JACQUELINE. Christophe ! Mais que fais-tu ici ?

JEAN-GUY. Et toi ?

STÉPHANE. Salope !

LOUISON. Salop ! (*Vers Stéphane et lui donnant une fausse gifle.*) Salut !

Louison quitte et va se changer en Barbara !

JACQUELINE. Sale cocu ! Me tromper avec la femme de mon amant en plus !

JEAN-GUY. Eh bien quoi ? Au moins ça reste en famille, au moins ?

JACQUELINE. Tiens : voilà tout ce que tu mérites.

Jacqueline le gifle.

JEAN-GUY. Aïe !

STÉPHANE. Allons, allons, les amoureux.

Jacqueline feint d'éclater en sanglots, Jean-Guy aussi.

STÉPHANE. Calmez-vous le pompon. (*Se tournant vers le public.*) Quelle triste scène. Mais arrêtons l'action une minute et tentons de voir ce qui entraîne tant de couples sur le mur des lamentations. Qu'a-t-il bien pu se produire pour que Barbara et Christophe se retrouvent dans un tel pétrin conjugal ?

JACQUELINE. I' me comprend pas !

JEAN-GUY. A me comprend pas !

Gilberte apparaît sur le coin de la scène, elle revient cabotiner sans faire la femme saoule cette fois.

GILBERTE, *à Barbara et Christophe en riant.* Avez-vous essayé le doc Mailloux ?

Elle rit.

STÉPHANE. Adèle ! (*Revient aux deux autres.*) Et depuis quand dure cette incompréhension ?

JEAN-GUY. Ahh euh deux trois mois je dirais. (*Vers Jacqueline.*) Hein ?

JACQUELINE. À peu près...

STÉPHANE. Oh non ! Cela remonte à une date beaucoup plus ultérieure... Adèle ! Amenez-nous le 25 novembre 1987, s'il vous plaît.

GILBERTE. Oui, patron... 23 novembre coming up...

STÉPHANE. Non, non, pas le 23... le 25...

Gilberte sort alors le panneau du 25 novembre 1987.

GILBERTE, *en s'exécutant.* C'est une farce, le 23 novembre, c'est l'anniversaire de la vasectomie de mon mari ! (*Elle rit en regardant son mari Roger dans la salle.*) Hein, Roger ! Là, t'as l'air smatte là, hein !?

STÉPHANE. Merci, Adèle, merci… Si on regardait un peu ce qu'il y a derrière ce 25 novembre.

Réjean et Louison sortent du panneau, habillés et coiffés comme Jacqueline et Jean-Guy… version 1987.

JEAN-GUY. Mais c'est …

STÉPHANE. Oui ce sont vous deux !

JACQUELINE. Wow ! Comme nous étions beaux et jeunes à l'époque !

Gilberte sort la toile de fond du décor du motel et se place à côté du décor le sourire aux lèvres.

STÉPHANE. Oui en effet : vous étiez superbes…. Observez bien. (*Il claque alors des doigts.*) Action !

Réjean et Louison enchaînent.

Stéphane assiste à la scène, flanqué de Jacqueline et de Jean-Guy. Gilberte cesse de cabotiner un moment, par respect pour Réjean et Louison.

GILBERTE. Motel Cupidon, bonjour !

RÉJEAN. Bonjour, mademoiselle la tenancière. Est-ce qu'il y a des chambres dans votre motel ?

GILBERTE. La même que d'habitude ?

RÉJEAN. La même, oui.

GILBERTE. Par ici. (*Elle avance dans le décor, suivie des deux autres.*) Alors c'est ici. Ça c'est la lumière, ça c'est la fenêtre, ça le plancher. (*Elle craque et sourit.*) Et juste au-dessus, vous avez le plafond, et ici vous avez le grand miroir.

RÉJEAN, *déconcentré.* Wow ! (*Vers Louison :*) Bien pensé….

LOUISON, *coincée.* Bien oui…

Stéphane foudroie Gilberte du regard. Elle reprend son sérieux.

GILBERTE. Ça ici, c'est le sofa : essayez-le !

Ils s'assoient.

RÉJEAN. Oh là là, ce qu'on est bien assis !

LOUISON. Et que dire du confort ?

RÉJEAN. Tu me le dis, toi… Et tu as vu comme il fait distingué ?

LOUISON. Distingué, tu dis ? Une véritable fête pour les yeux. On se penserait dans une des mille et une nuits.

GILBERTE. Et savez-vous ce qu'il y a en plein milieu de ce sofa ?

RÉJEAN. Un vingt-cinq sous perdu ?

GILBERTE. Non, un lit !

RÉJEAN. Un lit ?

LOUISON. Un lit ?

GILBERTE. Oui, un lit… Regardez bien !

Gilberte ouvre le sofa-lit.

RÉJEAN. Wow !

LOUISON. Incroyable… Et où peut-on trouver un meuble de ce calibre ?

GILBERTE. Chez Roger Grenon Fournitures…

RÉJEAN. Roger qui encore ?

GILBERTE. Grenon ! Roger Grenon Fournitures, 1244 rue Fontaine. Vous pouvez pas le manquer. (*Elle pointe son mari dans la salle.*) Ben quen, y est là justement ! Le gars gêné qui se cache à genoux dans 'deuxième rangée !

Louison et Réjean rient de malaise.

GILBERTE. Bon ben, j'vous laisse. Faut que j'aille voir le nouveau-né de ma grand-mère.

Elle fixe Louison.

LOUISON, *hésitante.* Le… le nouveau-né de votre grand-mère ?

GILBERTE. Ben oui, a s'est faite refaire le nez ! (*Pointe Roger dans la salle.*) Arrête de rire, toi !

STÉPHANE, *exaspéré par Adèle.* Merci, Adèle.

GILBERTE. Oups ! Chus mieux de m'effacer moi là !

Gilberte sort en se passant le plumeau au-dessus de la tête, comme pour s'effacer.

Stéphane fait signe à Réjean de poursuivre.

RÉJEAN, *ayant de la difficulté à prononcer Barbara.* Ah Barabara ! Enfin seuls… (*L'entraîne sur le sofa-lit.*) J'ai le goût de nous deux, mon amour.

LOUISON. Encore ? Cela fait deux fois en trois mois.

RÉJEAN. C'est de ta faute : tu m'excites trop.

Ils s'étendent sur le lit.

LOUISON. Christophe ?

RÉJEAN. Quoi ?

LOUISON. Tu es beau…

RÉJEAN. Tant mieux…

Il l'embrasse comme dans la pratique. Il ferme la lumière. Black out presque complet. On les entend faire l'amour.

RÉJEAN. Bara… bara ?

LOUISON. Oui ?

RÉJEAN, *prononçant son nom de plus en plus intensément, comme s'il était près d'atteindre l'orgasme.* Ahhh Bara-ba-ra… Bara-ba-ra !

LOUISON. Quoi ?

RÉJEAN, *en plein orgasme.* Bara-ba-ra… Bara-ba-rara… Ra-ba-rara ! (*Rallume la lumière.*) Ça t'a plu ?

LOUISON, *mal à l'aise.* Oui, oui… Christophe ?

RÉJEAN, *faussement impatient, cherchant à se donner une intention.* Quoi encore ?

LOUISON, *faussement troublée.* J'ai un drame à te dire.

RÉJEAN. Mais allons : parle, que je t'écoute…

LOUISON. Eh bien, voilà : excuse-moi, mais je suis enceinte !

RÉJEAN. Déjà ?

LOUISON. Non, non, pas de ce soir… de l'avant-dernière fois !

RÉJEAN. Sacrebleu ! Mais enceinte de qui ?

LOUISON. D'un bébé !

RÉJEAN. D'un bébé ?

LOUISON. Qu'est-ce que nous allons faire, Christophe ?

RÉJEAN, *intense, la main sur son ventre.* Nous t'en avons fait un enfant… eh bien maintenant nous tenterons de t'en faire un adulte.

LOUISON. Mais tes études, imbécile ? Et ton rêve de devenir politicien ? (*Se pointe le ventre.*) Ne serait-il pas mieux avorté ?

RÉJEAN. Non, Bara-bara. (*La main sur le ventre de Louison.*) J'aime mieux avorter mes études que notre avorton, tu sauras.

LOUISON. Mais que vas-tu faire comme métier ?

RÉJEAN. Je ne sais pas, moi, commis au Bureau des licences...

LOUISON. Tu es sûr ?

RÉJEAN. Pourquoi pas ? (*Prend le visage de Louison.*) Mon espèce d'amour, toi...

LOUISON. Ah Christophe ! Comme je suis heureuse... Toi ??

RÉJEAN, *complètement défait, tournant la tête et figeant sur place.* Oui, oui... moi aussi...

STÉPHANE, *à Jean-Guy.* Regardez cet air, le reconnaissez-vous, Christophe ?

JEAN-GUY. Oui, c'est le mien...

STÉPHANE. Comprenez-vous maintenant ? Voilà où tout a « commencé », voilà où est né le bobo... (*À Jacqueline :*) Vingt ans ! Vingt ans que votre mari se sacrifie pour vous... Vingt ans que, à cause de votre couple, il a pilé sur son rêve de brillant politicien.

JEAN-GUY. Je ne m'en étais même pas rendu compte.

STÉPHANE. ... même chose pour toi, Barbara : vingt ans, vingt ans que tu t'assois sur ta libido, vingt ans que tu vis comme une Mme Split Level... toi qui étais née pour être une George Sand ou une Lady Chatterley...

JACQUELINE. Oui vous avez raison, avoir su…

JEAN-GUY. Oui.

TOUT LE MONDE. Avoir su…

Jean-Guy et Jacqueline partent lentement chacun de leur côté. Stéphane se tourne vers le public.

STÉPHANE. Avoir su ! Combien de gens donneraient tout aujourd'hui pour…

TOUT LE MONDE. Avoir su !

STÉPHANE. Si tous les couples du monde entier dialoguaient davantage au lieu de se frustrer mutuellement, eh bien sans doute y aurait-il moins de Christophe et de Barbara en instance de divorce… Peut-être aussi davantage de premiers ministres…

TOUT LE MONDE. Avoir su !

STÉPHANE. Qu'adviendra-t-il maintenant de Barbara et de Christophe ? Y a-t-il encore de l'espoir pour les couples frustrés ou détruits ?

Ils se mettent tous à chanter, style hip hop.

INCOMMUNICABILITÉ

JEAN-GUY ET RÉJEAN. Hé, toi, là-bas, réalises-tu que tu t'en vas ?
Dis-moi pourquoi, serait-ce à cause de toi et moi ?
Sans dialogue, un couple devient ankylosé
(oui) un problème c'est fait pour se parler.

JACQUELINE ET LOUISON. Et toi, là-bas, tu dis des mots qui communiquent
Parlons de nous sous un aspect psychologique
Si une bouche c'est fait pour s'embrasser
Des oreilles c'est fait pour s'écouter.

Gilberte sort des coulisses et chante avec eux.

GILBERTE ET TOUT LE MONDE. Incommunicabilité
(ter)
Voilà où nous nous sommes acculés
Tu fauches les couples comme le blé
Mais nous les commandos du dialogue
Avec nos grenades de confidences
Incommunicabilité. (ter)

STÉPHANE. Nous ferons sauter ton mur de silence !

Saluts.

Fade out.

5

Réjean, tourné vers les coulisses, parle à sa mère qu'on ne voit pas.

RÉJEAN. Oui, oui, maman... chus capable de me rendre tout seul... on va vous rejoindre au restaurant... on va partir en groupe... bye bye...

Gilberte et Jacqueline entrent sur la scène. Louison arrive des coulisses côté jardin et saute dans les bras de Réjean. Jean-Guy entre en dernier. Tout le monde est encore habillé comme dans la pièce. Stéphane est en train de se changer en coulisses.

GILBERTE. En tout cas, on valait ben des programmes de T.V. plattes à soir... j'te dis, mon mari en r'venait pas... y arrêtait pas de m'présenter à tout le monde, un peu plus pis i'm'présentait à ma sœur...

JACQUELINE. T'étais assez bonne aussi, le monde en pouvait pus de te voir.

GILBERTE. Tu peux ben parler, toi. J'te dis que quand tu fais ta tragique, ôte-toi de d'là, hein. Par bouts, t'aurais pu faire brailler une roche.

LOUISON. Une roche ? Mets-en, une carrière même.

GILBERTE. On était touttes bons, c'pas mêlant. J'te dis, j'recommencerais tout d'suite.

LOUISON. Ah, moi avec... ma tante a va jamais au théâtre pis a m'a dit que ça faisait longtemps qu'a l'avait vu quèque chose de bon d'même.

81

RÉJEAN. En tout cas, Jean-Guy, garde ça pour toi, mais ma mère, a t'a trouvé ben de son goût.

LOUISON. Mon père aussi. I'a trouvé ton personnage à la fois très homme et très ému.

JEAN-GUY. Ah bon... tu 'i feras dire merci.

LOUISON. En tout cas, pour des amateurs, on faisait pas mal semi-professionnels, j'trouve.

RÉJEAN. C'est rare que j'suis fier de moi, mais à soir j'pense que je l'mérite...

GILBERTE. Ton mari a eu l'air d'avoir aimé ça, hein, Jacqueline ?

JACQUELINE. Ah oui ! i'a dit qu'i'a ben ri...

GILBERTE. Mais i'a-tu aimé le profond aussi ?

JACQUELINE. Ç'a l'air.

LOUISON, *s'adressant à Jean-Guy.* Toi, ta femme a-tu aimé ça ?

JEAN-GUY. Ah oui... a l'a aimé ça, mais j'pense qu'a l'aurait aimé que ce soit plus comédie musicale... t'sais...

LOUISON. A vient-tu au party ?

JEAN-GUY. Ça s'peut mais est fatiguée... a l'savait pas... j'i ai dit qu'a serait peut-être mieux d'rentrer.

GILBERTE. Mais toi, tu viens au party ? Tout l'monde va être là...

JEAN-GUY. Ah oui, oui... C'pas parce que ma femme vient pas que... son mari y va pas.

Stéphane entre, une bouteille de vin mousseux à la main.

GILBERTE. Quen ! V'là le patron !

Tout le monde applaudit Stéphane.

LOUISON. En tout cas, on te l'a peut-être pas dit, mais j'pense qu'on t'a trouvé pas mal sensationnel dans ta pièce. (*S'adressant aux autres :*) Hein ?

RÉJEAN. Moi, j'en reviens pas d'avoir joué avec toi. C'est quasiment un honneur.

STÉPHANE. Exagère pas, Réjean. C'est vous autres qui m'avez mis en valeur. (*Stéphane donne la bouteille à Réjean.*) Tiens, sers-nous donc ça, Réjean.

GILBERTE. Ah non, pas du champagne ! On va ben être malades.

STÉPHANE. Vous méritez ben ça.

LOUISON. Est-ce qu'on peut te demander si t'es fier de nous ?

Réjean et Louison s'occupent de servir un verre de champagne à chacun.

STÉPHANE. J'peux vous l'dire maintenant, avant que la pièce commence, j'm'ennuyais d'ma mère, même si j'en ai jamais eu ; mais là, j'peux vous dire une chose : j'ai rarement vu des débutants comme vous autres...

JACQUELINE. Bon ben, on fait-tu « chin-chin » à quèque chose ?

LOUISON. À Stéphane, pour qui euh... c'est grâce à lui...

TOUT LE MONDE. À Stéphane !

RÉJEAN, *après avoir bu.* Hum, i'est bon... i'est sucré...

GILBERTE. Bon, on s'en va-tu au party ?

STÉPHANE. Euh, une petite minute, i'a juste une petite affaire... j'voulais vous dire que c'est platte mais euh… i'a quelqu'un du milieu qui m'a appelé c'midi pour que j'aille discuter avec lui euh… c'est pour une proposition dans un… dans une télévision quoi, pis i' faut absolument que je l'voie à soir… parce que demain i' s'en va à Toronto ou quèque chose dans le genre… déjà là, ch't'un peu en retard. J'vous l'aurais ben dit avant la pièce mais vous étiez assez nerveux de même…

LOUISON. Ah non, qu'est-ce qu'on va faire sans toi ?

GILBERTE. Mon mari qui voulait t'serrer la main…

STÉPHANE. Tu 'i serreras de ma part…

JACQUELINE. T'es sûr qu'y a pas moyen ?

STÉPHANE. Si y avait un moyen, j'serais le premier à le trouver…

LOUISON. Ah ben, c'est platte parce qu'on avait toutte… (*Elle regarde les autres…*) Hein ?

GILBERTE. Ouen, c'est parce que on avait préparé, comme qui dirait, un p'tit hommage pour le party…

STÉPHANE. C'est pas nécessaire, voyons…

GILBERTE. C'est parce qu'y a un cadeau aussi…

STÉPHANE. Voyons, qu'est-cé vous voulez que j'fasse avec un cadeau… Mon cadeau j'l'ai eu ce soir quand vous avez joué. Un cadeau, c'est pas toujours quèque chose d'emballé…

LOUISON. Bon justement, le nôtre i'l'est pas.

GILBERTE. Qu'est-ce qu'on fait, Jean-Guy ? Tu parles-tu pis on'i donne le cadeau après ?

JEAN-GUY. O.K… ben, Stéphane, j'pense que tu t'doutes un peu de qu'est-ce qu'on va te dire… euh… ça arrive pas à tous les jours de travailler pendant trois mois avec quelqu'un de... ta catégorie. Je pense que ça serait difficile de pas te dire merci pour toutte c'que t'as réussi à faire avec nous autres. Évidemment, il y a eu des moments d'efforts difficiles à fournir en vue de sortir de notre fameuse coquille, mais il y a eu aussi des moments et des fois où le plaisir coulait à flots. C'est donc dans l'euphorie que nous allons te dire merci en te donnant rendez-vous l'été prochain pour le festival d'été où nous sommes supposés jouer. Donc, merci encore et euh... c'est ça...

STÉPHANE. Ouen, ben, merci beaucoup, Jean-Guy... les autres aussi.

LOUISON. C'est peut-être pas grand-chose qu'est-ce qu'y vient de dire, mais ça nous vient du cœur...

STÉPHANE. C'est ça qui compte...

GILBERTE, *à Réjean.* Envoye, Réjean, va chercher le cadeau...

Réjean sort en coulisses. Louison le suit.

GILBERTE, *à Stéphane.* Tout le monde a payé pour...

Réjean et Louison reviennent. Réjean donne le « cadeau » à Stéphane.

RÉJEAN, *à Stéphane.* J'espère que ça va te faire plaisir.

Stéphane le prend, en enlève le drap. C'est une photo laminée de tout le groupe.

STÉPHANE. Ah mon Dieu ! C'est vous autres, ça ?

GILBERTE. Mon mari l'a fait égrandir pour qu'on soit en grandeur naturelle.

STÉPHANE. J'aimerais ça pouvoir vous dire merci...

LOUISON. Attendez, c'est pas fini.

GILBERTE. Hein ?

LOUISON, *sortant son propre cadeau.* J'ai pensé que étant donné que t'avais pas le plaisir d'être marié, que tu penses pas à t'acheter ça souvent... mais j'veux pas dire que t'es pas propre...

STÉPHANE, *en déballant.* Louison... c'est trop... j'l'avais pas dit que j'voulais pas de cadeau...

LOUISON. Non, tu l'avais pas dit...

STÉPHANE. J'me fais prendre à chaque fois. (*Il a fini de déballer. Il aperçoit le cadeau : une serviette de bain.*) Ah wow ! As-tu vu la couleur, tu dois avoir du goût, toi...

Louison est confuse.

JEAN-GUY, *en lui offrant une carte de l'Alliance démocratique.* J'ai pensé que ça ferait du bien à 'province d'avoir un gars comme toi dans notre parti. Même si tu l'veux pas, te v'là rendu membre du parti... Félicitations, mon Stéphane.

STÉPHANE. Ben coudonc, j'pensais pas d'me lancer en politique un jour ; ça va me faire plaisir de la garder dans mon portefeuille. Est ben belle, Jean-Guy, j'te remercie.

RÉJEAN, *sortant de son portefeuille cinq dollars.* J'ai pas eu l'temps de penser à un cadeau mais euh... j'espère que... c'est pas grand-chose mais que tu pourras t'acheter quèque chose à ton goût...

Il vient pour lui donner le billet de cinq dollars mais Gilberte, qui fouillait dans son sac depuis un moment, intervient.

GILBERTE. Écoute Réjean, donnes-y donc un dix. J'te donnerai cinq piastres.

STÉPHANE. C'est pas nécessaire...

GILBERTE. Ça me fait plaisir. (*À Réjean, un peu impatiente :*) En as-tu un dix ?

RÉJEAN. Oui, oui, je l'ai.

Il le donne à Stéphane.

STÉPHANE. Merci... ouen... j'sais pus quoi dire là... Bon ben, merci, en tout cas... chus pas fort pour recevoir des cadeaux d'habitude mais, euh, j'avoue qu'une photo pis une serviette je m'attendais pas à ça. La même chose pour... euh... le 10 dollars de Gilberte pis l'affaire de Jean-Guy. J'pense que c'est un peu à moi que revient le mot de la fin. Je pense que ça me sert à rien de dire n'importe quoi, vous savez c'que j'pense, tout c'que j'pourrais ajouter si j'étais maniaque c'est, euh... lâchez pas, pis pas rien que la patate, hein ? Toutte ! Toutte ! Vous êtes beaux, vous êtes beaux, O.K. ? (*Son téléphone sonne mais il ne répond pas.*) Bon ben, là j'pense que c'est toutte, allez-vous-en tout le monde, faites-vous du fun, pis c'est sûr qu'on va se revoir.

LOUISON. Ben certain qu'on va s'revoir... on s'reverra pas au festival d'été ?

GILBERTE. Ouen, qu'est-ce qui arrive avec le festival d'été, i'étaient pas là les jurys que t'avais invités ?

STÉPHANE. Euh, oui, i' étaient là... j'ai pas eu l'temps d'es voir après.

GILBERTE. Peut-être qu'i' ont pas aimé ça ?

STÉPHANE. Ah, non, non... c'est pas leur genre. On va attendre de voir avant si tout l'monde est disponible.

JACQUELINE, *à tous.* Ben, tout l'monde pouvait, hein ?

Tout le monde acquiesce.

STÉPHANE. Bon, ben, c'est l'fun... comme ça si jamais ça marche, j'peux compter sur vous autres.

LOUISON. Mais t'aimerais pas ça que ça marche ?

STÉPHANE. J'ai-tu dit ça, Louison ? Fais-moi pas de peine, j'pense que c'est pas ça me connaître. Pas de panique, là ! J'devrais avoir des nouvelles à un moment donné. Pis de la minute que ça marche ou que ça marche pas, j'appelle un de vous autres, Jacqueline par exemple... Ça vous va-tu, Jacqueline ?

GILBERTE ET RÉJEAN. Oui, oui, Jacqueline, c'est parfait.

STÉPHANE, *dont le téléphone sonne à nouveau.* Bon, ben, i'faut absolument que j'y aille. Chose là... Toronto m'attend. (*En reculant.*) En tout cas, ç'a été ben spécial pour moi, pis j'espère qu'on se lâchera pas... J'vous trouve ben intenses. Ciao !

Il recule. Les autres figent un peu. Stéphane sort.

Temps.

GILBERTE. Ouen. Ben on va aller se changer pour le party.

Réjean, Gilberte, Louison et Jean-Guy retournent dans les coulisses se changer, Jacqueline commence à se diriger vers les coulisses. Stéphane revient chercher son chapeau qu'il avait oublié sur le sofa. Jacqueline, l'apercevant, va vers lui.

JACQUELINE. Stéphane !

STÉPHANE. Mon chapeau !

Il fait mine de s'en aller. Jacqueline le retient par le bras.

JACQUELINE. Excuse-moi, t'es pressé... Eh, j'voulais t'dire, euh... (*Lui donnant une bague qu'elle a au doigt.*) Tiens, j'ai ça pour toi...

STÉPHANE. Est l'fun, c'bague-là... C'est pas ton alliance, j'espère ?

JACQUELINE. Ben non…

STÉPHANE. O.K. Merci.

Il recule pour s'en aller.

JACQUELINE. Attends ! C'est parce que, là, j'sais pas que c'est qui arrive avec nous autres, c'est ça j'voulais t'dire tantôt… Est-ce que… tu considères qu'on devrait se revoir ou si on est mieux que… le rêve soit fini… t'es-tu réveillé, toi ?

STÉPHANE. Ben non… chus pas réveillé, mais… euh… Ton mari, i'a-tu aimé la pièce ?

JACQUELINE. Ah, oui, oui ! Mais la seule affaire, c'est que i'a même pas vu que Barbara sur scène, c'est moi dans vie. Que c'est moi avec lui.

STÉPHANE. Ben, euh, tu 'i expliqueras… Mais toi, en tant que toi, es-tu contente du pas que t'as faitte…

JACQUELINE. Oui, mais c't'à cause de toi c'qui est arrivé, c'pas à cause de lui… Chus fatigante, hein ?

STÉPHANE. Voyons donc, Jacqueline, dis pas ça… j'aime pas ça, les fatigantes… (*En sortant sa carte.*) Écoute, j'vas t'donner ma carte, là, si jamais tu veux m'appeler pour, euh… n'importe quoi… gêne-toi pas… O.K. ?

JACQUELINE. Mais qu'est-ce qui va arriver avec le bout de chemin qu'on a fait ensemble ?

STÉPHANE. Des chemins, ça se croise toujours un moment donné, Jacqueline…

JACQUELINE. Oui, mais moi, c'est quoi le chemin que j'vas prendre ? J'ai fait un pas, là, Stéphane, dis-moi que je l'ai pas mis dans l'vide.

STÉPHANE. Non, non.

JACQUELINE. Dis-moi que j'me suis pas trompée sur toi, sinon j'me suis trompée sur moi aussi. T'as besoin de moi, toi avec, non ?

STÉPHANE. C'est sûr…

JACQUELINE. Tu me parles avec ton ventre, là ?

STÉPHANE. Oui. Oui.

JACQUELINE. Je le sais maintenant comment tu peux être seul, toi avec. C'est pas facile d'être authentique pis de réussir dans ce milieu-là… Je l'sais t'es à part, mais c'est ça que j'aime. On est pareils dans l'fond, on n'a pas de défenses contre la mesquinerie du monde.

STÉPHANE. Ouan…

JACQUELINE. Stéphane, je l'sais que ça se dit pas à n'importe qui qu'on l'aime, mais j'peux te dire que mon mari je l'aime pus.

STÉPHANE. Écoute, i' faut absolument que j'y aille.

JACQUELINE. Qu'est-ce que je fais ? Est-ce que j'viens avec toi ? Aide-moi !

STÉPHANE. Écoute, Jacqueline, on est peut-être mieux d'arrêter de rêver en couleurs, on est mieux de laisser dormir ça…

JACQUELINE. Mais j'dormais avant, Stéphane, pourquoi t'es venu me réveiller ? Stéphane, dis-moi, j'aurai pas juste été une maîtresse de coulisses… Hein ?… Hein, Stéphane ?…

Jean-Guy fait son entrée sur scène.

JEAN-GUY. Ah ! excusez… j'vous dérange pas, j'espère !

STÉPHANE. Aie pas peur, tu déranges pas.

JEAN-GUY. T'es sûr ? J'pensais que t'étais parti, toi. En tout cas, t'sais notre fameuse tasse de café qu'on devait prendre ensemble… C'est parce que là, avec ce que ma femme a vu à soir, ç'a l'air que j'pourrai même pus coucher dans boîte à pain. Ça se peut-tu que ça aye été une gaffe ?

STÉPHANE. Non, non, Jean-Guy. Écoute, Jacqueline a ma carte… appelle-moi. Si chus pas là, tu parleras à ma machine… j'te rappelle. Anytime. Ciao, le monde ! Appelez-moi, hein ? Lâchez pas, j'vous aime ben…

Stéphane sort.
Jean-Guy et Jacqueline se regardent. Jean-Guy quitte la scène.
Jacqueline regarde une dernière fois désespérément dans la salle.

TABLE